# Pense como Freud

# Pense como Freud

Aforismos Selecionados e as Grandes Questões do
Pai da Psicologia Moderna

Selecionados por
Hannes Etzlstorfer & Peter Nömaier

Com prefácio de
Inge Scholz-Strasser

*Tradução*
Marcelo Brandão Cipolla

Editora
Cultrix
SÃO PAULO

Título do original: *Freud Verbatim*
Copyright © 2011 Christian Brandstätter Verlag, Viena.
Copyright da edição brasileira © 2017 Editora Pensamento-Cultrix Ltda.
Texto de acordo com as novas regras ortográficas da língua portuguesa.
1ª edição 2017.
Todos os direitos reservados. Nenhuma parte desta obra pode ser reproduzida ou usada de qualquer forma ou por qualquer meio, eletrônico ou mecânico, inclusive fotocópias, gravações ou sistema de armazenamento em banco de dados, sem permissão por escrito, exceto nos casos de trechos curtos citados em resenhas críticas ou artigos de revistas.

A Editora Cultrix não se responsabiliza por eventuais mudanças ocorridas nos endereços convencionais ou eletrônicos citados neste livro.

**Editor:** Adilson Silva Ramachandra
**Editora de texto:** Denise de Carvalho Rocha
**Gerente editorial:** Roseli de S. Ferraz
**Preparação de originais:** Vivian Miwa Matsushita
**Produção editorial:** Indiara Faria Kayo
**Editoração eletrônica:** Join Bureau

Dados Internacionais de Catalogação na Publicação (CIP)
(Câmara Brasileira do Livro, SP, Brasil)

Pense como Freud: aforismos selecionados e as grandes questões do pai da psicologia moderna / selecionado por Hannes Etzlstorfer & Peter Nömaier; com prefácio de Inge Scholz-Strasser; tradução Marcelo Brandão Cipolla. – São Paulo: Cultrix, 2017.

Título original: Freud verbatim: quotations and aphorisms.
Bibliografia.
ISBN: 978-85-316-1411-8

1. Freud, Sigmund, 1856-1939 – Correspondência 2. Psicanálise 3. Psicologia I. Etzlstorfer, Hannes. II. Nömaier, Peter. III. Scholz-Strasser, Inge.

17-05219     CDD-150.1952

Índices para catálogo sistemático:
1. Psicanálise freudiana: Psicologia 150.1952

Direitos de tradução para a língua portuguesa adquiridos com exclusividade pela
EDITORA PENSAMENTO-CULTRIX LTDA.,
que se reserva a propriedade literária desta tradução.
Rua Dr. Mário Vicente, 368 – 04270-000 – São Paulo, SP
Fone: (11) 2066-9000 – Fax: (11) 2066-9008
http://www.editoracultrix.com.br
E-mail: atendimento@editoracultrix.com.br
Foi feito o depósito legal.

# SUMÁRIO

Prefácio 7
Pense como Freud – uma introdução 13

    I   O homem em sua vida privada 18
   II   Viena e o mundo 34
  III   Sociedade e cultura 48
  IV   Conflito e rivalidade 62
   V   Sonho e ilusão 78
  VI   Eros e sexualidade 94
 VII   Ciência e análise 110
VIII   Sagacidade e humor 128
  IX   Etecetera 144
   X   Cultos religiosos e religião 156

Apêndice 172
Sigmund Freud – Linha do tempo 174
Bibliografia 178
Lista de ilustrações 182

# Prefácio

"[...] Não desprezemos a palavra. Afinal de contas, ela é um instrumento poderoso; é o meio pelo qual comunicamos nossos sentimentos uns aos outros, o método pelo qual influenciamos as outras pessoas. As palavras podem fazer um bem indizível e causar feridas terríveis."

Sigmund Freud, *A questão da análise leiga*

Estas palavras de Sigmund Freud servem de paradigma para os objetivos deste livro, o qual, em primeiríssimo lugar, busca chamar a atenção para a excelência linguística que transparece em toda a obra de Freud. Ao apresentar suas teorias fundamentais sobre a alma humana, Freud demonstrou um domínio excepcional da linguagem e uma capacidade para elaborar formulações elegantes que evidenciam sua generosa educação humanista, sua paixão pela leitura e a amplitude e a profundidade tremendas de seu conhecimento.

*Pense como Freud* é um dos muitos frutos das pesquisas e esforços educacionais que ora se empreendem nos aposentos onde Freud viveu e trabalhou em Viena, no número 19 da Rua Berggasse. O livro surgiu mediante a cooperação da Fundação Sigmund Freud, Hannes Etzlstorfer e a Editora Brandstätter. Para cumprir sua missão de ampliar a consciência do público acerca da vida e obra do criador da psicanálise, a Fundação Sigmund Freud realiza palestras, exposições e congressos internacionais no Museu Sigmund Freud. É dona também da maior biblioteca de psicanálise da Europa, mantém um arquivo cada vez maior de documentos importantes sobre a história da psicanálise e publica estudos acadêmicos, catálogos de exposição e compilações como esta.

Todo ano, o Museu Sigmund Freud, no número 19 da Rua Berggasse, em Viena, recebe mais de 70 mil visitantes vindos de todas as partes do mundo para conhecer um dos endereços mais famosos da história, onde encontram a oportunidade única de ter contato direto com o consultório e a residência de Freud. Aí, os visitantes podem saber mais sobre o local onde Freud analisava seus pacientes e onde escreveu obras que viriam a transformar, de forma permanente, o entendimento que temos da mente humana. A sala de espera original também era o local onde, todas as quartas-feiras, se realizavam as reuniões da Sociedade de Psicologia: Freud convidava um grupo de médicos e pessoas interessadas para discutir a nova ciência da psicanálise e desenvolvê-la por meio do diálogo. Com sua família, ele viveu e trabalhou por 47 anos nesses aposentos, que hoje são abertos ao público como parte do Museu Sigmund Freud. Em 1938, com 82 anos de idade, Freud conseguiu escapar da perseguição nacional-socialista e, acompanhado de seus parentes mais próximos, fugiu para a Inglaterra. O último ano e meio de sua vida foi passado em Londres. Pouco depois da eclosão da Segunda Guerra Mundial, em 23 de setembro de 1939, Sigmund Freud morreu em sua casa, no número 20 de Maresfield Gardens, sucumbindo finalmente ao câncer que havia tantos anos o assediava. Hoje, essa casa abriga o Museu Freud de Londres.

 O Museu Sigmund Freud, em Viena, foi inaugurado em 1971. Desde o começo, dedicou-se a manter viva a memória não somente de Freud e sua obra, mas também de sua fuga para o exílio – ao lado de tantos outros intelectuais de destaque que fugiram do Nacional Socialismo. No decurso de sua emigração, Sigmund Freud conseguiu enviar a Londres tanto sua coleção de antiguidades quanto seu divã. O divã, que ao longo do século XX se tornou o símbolo mais famoso da psicanálise, está hoje no Museu Freud de Londres, na casa onde Freud passou seus últimos dias.

 Sigmund Freud é lembrado sobretudo como o pai dos atuais estudos da consciência. Sua obra assinala o início da moderna psiquiatria, e todas as formas mais recentes de psicoterapia ou desenvolveram-se a partir da psicanálise ou opuseram-se a ela criticamente.

 Além de suas contribuições incontestáveis aos campos da medicina e da psiquiatria, Sigmund Freud, que estudou neurologia, também foi amplamente reconhecido por seu talento literário. Sua obra se caracteriza por um uso da linguagem que divergiu de modo marcante do estilo convencional de seus colegas médicos e foi muito além da terminologia científica da sua época. Seus textos foram redigidos com uma qualidade literária que lhe valeu, ainda em vida, o reconhecimento de Romain Roland e Thomas Mann, ambos ganhadores do Prêmio Nobel de Literatura. O próprio Freud admitiu que seus estudos de caso pareciam "pequenos romances", sendo que essa declaração deve ser entendida como uma autocrítica sarcástica: ele poucas vezes se mostrou totalmente satisfeito com seus escritos. O comitê do Prêmio Goethe, no entanto, não refreou o entusiasmo e, numa atitude controversa, concedeu-lhe o Prêmio Goethe da Cidade de Frankfurt em 1930. Foi assim que Freud passou a fazer parte de um seleto grupo de escritores renomados, entre os quais Gerhart Hauptmann, Thomas Mann, Carl Zuckmayer, Siegfried Lens e Amos Oz. Obras como *A interpretação dos sonhos*, *O chiste e sua relação com o inconsciente* e *O mal-estar na civilização* evidenciam uma refinada sensibilidade linguística e um estilo atemporal, surpreendentemente moderno para sua época. Todo leitor dos textos de Freud está fadado a deparar-se com passagens notáveis, dignas de serem lembradas, e certamente virá a maravilhar-se com seu uso das palavras.

 Este livro chama a atenção não somente para a obra de Freud, substancial e multifacetada, mas também para sua vida privada, documentada em numerosas cartas escritas a amigos e parentes. São particularmente interessantes as que escreveu a

Martha, sua segunda esposa: a personalidade complexa de Freud se revela no lado romântico e poético da correspondência que entabulou com sua noiva, de quem foi obrigado a afastar-se durante muito tempo em razão de suas dificuldades econômicas. Um aspecto muito diferente se revela em suas cartas a Wilhelm Fliess e C. G. Jung: aí, sua natureza humorística, cínica e vulnerável se manifesta quando os assuntos são seu sucesso profissional, sua sede de poder e seus cálculos políticos acerca do posicionamento do movimento psicanalítico.

Ao selecionar as citações contidas neste livro, os editores não tiveram a pretensão de reunir uma amostra exaustiva. O livro não foi concebido como uma antologia completa, que contém excertos de todos os escritos de Freud. As passagens escolhidas destacam vários períodos da obra de Freud e muitas vezes chamam nossa atenção para as reflexões dele próprio sobre a mesma. Ao mesmo tempo, o livro procura lançar luz sobre a personalidade complexa de Freud na esfera privada, bem como delinear a relação ambivalente que mantinha com suas origens, o caminho tortuoso que traçou entre o ateísmo e a identidade judaica e suas relações complexas com a cidade de Viena e as rodas intelectuais da sociedade vienense.

Os dez capítulos são agrupamentos temáticos de citações pinçadas na produção escrita do cientista, do escritor e do crítico da cultura – e, não menos, na vida do homem Sigmund Freud – que, durante o século XX, revolucionou nossas teorias sobre a mente humana e criou um novo método de tratamento para o sofrimento mental. Este livro nasceu do prazer de ler Sigmund

Freud, do confronto com uma obra monumental que, sob a superfície, revela um pensamento complexo, no qual diversas linhas de raciocínio se sobrepõem em múltiplas camadas. Se o leitor sentir o estímulo de examinar mais atentamente os escritos e mergulhar mais fundo no mundo de Sigmund Freud, este compêndio terá atingido seu objetivo.

*Inge Scholz-Strasser*
PRESIDENTE DA FUNDAÇÃO SIGMUND FREUD

# Pense Como Freud — Uma Introdução

A biografia de Sigmund Freud, talvez mais que a de qualquer outro personagem da vida intelectual vienense por volta de 1900, revela um amálgama surpreendentemente complexo de diferentes tradições, mentalidade, cosmovisões e métodos científicos. Apesar da oposição intensa com que muitas de suas ideias se depararam, os escritos e as declarações deste primeiro "explorador do inconsciente" exerceram um irresistível efeito estimulante sobre o pensamento contemporâneo. Na qualidade de fundador da psicanálise – e criador de termos que tornaram-se de uso comum, como *ego*, *superego* e *id* –, Freud exerceu imensa influência no mundo inteiro. Em Viena, suas teorias logo deram margem a grandes controvérsias, que tornaram cada vez mais difíceis suas relações com a universidade e a própria cidade. Os primórdios da psicanálise foram marcados não somente por uma competição com a psiquiatria oficial, que se baseava em certos pressupostos fisiológicos, mas também por uma situação política cada vez mais precária, que culminou no colapso do império multiétnico dos Habsburgo e na fundação da Primeira República Austríaca. Um antissemitismo virulento já transparecia no parlamento e nos debates políticos da vida cotidiana. Diante desse pano de fundo, a psicanálise foi posta em escanteio e desconsiderada por ser uma "ciência judaica", ao mesmo tempo que conseguia constituir um novo fórum internacional fora dos limites da universidade. Freud logo encontrou seguidores em Berlim, Zurique e Budapeste, onde se estabeleceu a primeira cátedra de psicanálise – a qual, no entanto, durou apenas poucas semanas, durante o breve governo da República Soviética Húngara.

A adesão inflexível de Freud a sua nova concepção psicológica era justificada: a partir da publicação de *A Interpretação dos Sonhos*, em 1900, o acolhimento de sua obra cresceu também em Viena. E não foi só dentro de sua disciplina que ele se tornou uma autoridade e objeto de intensas discussões. Freud tomou parte em uma larga gama de discursos, que iam muito além da área hermética na qual se especializara. Ao situar a psicanálise no quadro das ciências, Freud estava convicto de que a ciência em geral teria de seguir um caminho interdisciplinar, não somente influenciando e conquistando outros campos, mas também oferecendo sua cooperação – no estudo da literatura, por exemplo. Desnecessário dizer que essas propostas nem sempre eram recebidas com entusiasmo. Assim, entreouve-se em muitas declarações de Freud um tom defensivo, nascido da necessidade de defender seu território contra os ataques – às vezes mais francos, às vezes mais sutis – desferidos contra a validade científica da psicanálise.

Esta coletânea de citações, máximas, profecias, alertas, observações e ditos chistosos delineia o perfil de uma personalidade multifacetada cujo campo de interesses era extremamente amplo. Estes iam da política à polêmica, passando pela religião, os relacionamentos interpessoais e o humor, e tudo isso pode ser encontrado nos numerosos escritos de Freud. O leitor depara com um espectro fascinante de opiniões e posicionamentos, que vão evidenciando os contornos da sua personalidade e natureza. Muitos de seus comentários refletem as questões em discussão na época e definem seus pontos de vista diante do pano de fundo da história da cultura, mas muitos outros nada perderam de seu brilho atemporal e vão muito além de um simples posicionamento intelectual. Além de reunir passagens das principais obras de Freud, esta coletânea também faz uso de fontes que não pertencem ao cânone de suas obras publicadas. Suas cartas, em particular, são uma rica fonte de informações pessoais e tiradas divertidas. A correspondência publicada nas edições de Jeffrey Moussaieff Mason, Ernst e Lucie Freud, William McGuire, Walter Boehlich, Eva Brabant, Albrecht Hirschmüller e Michael Schröter nos forneceu grande quantidade de material. Este volume deve muitos de seus trechos mais memoráveis ao trabalho desses editores.

Organizada em dez capítulos temáticos, esta compilação de aforismos e citações nos faculta o acesso a uma visão representativa da obra de Freud, que qualquer leitor pode rapidamente começar a explorar. A citação, que por sua natureza é apenas uma parte, fala em nome do todo.

Por que recorremos tanto a citações? Muitas vezes descobrimos um complexo universo de pensamento por trás de declarações científicas ou artísticas lapidares, reduzidas a uma centelha de intuição que ilumina tudo o que está ao redor, tornando-o mais compreensível. Sobretudo no passado mais recente, tão rico em documentação biográfica, as declarações cogentes de grandes vultos representa valiosa fonte de informação para os que se interessam seriamente pelo estudo de uma época e de seu *zeitgeist*. Esses documentos penetrantes – que, muitas vezes, revelam mais sobre uma época ou sobre as facetas de uma personalidade do que minuciosas análises – há muito contêm um indispensável tesouro de citações a partir das quais os discursos, textos e exposições derivam suas mensagens mais significativas. Desde a época em que floresceram as culturas grega e romana, nas quais Freud encontrou a prefiguração de tantas teorias suas, os aforismos servem como veículo para a expressão concisa de um pensamento, um juízo ou um princípio de sabedoria. O próprio Freud nos oferece aquela que talvez seja a legitimação mais convincente do esforço que aqui empreendemos: "Aquilo que é verdadeiro é plenamente digno de ser partilhado".

Nossa ideia de criar um florilégio freudiano teria pouca possibilidade de chegar ao mercado de livros sem a ajuda de pessoas influentes que nos prestaram seu apoio. Inge Scholz-Strasser, presidente da Fundação Sigmund Freud, logo reconheceu a necessidade de um livro como este e deu contribuições essenciais para o sucesso do projeto. Christian Brandstätter assumiu a ideia com entusiasmo e encontrou um lugar para ela na abundante programação de sua editora; gostaríamos de manifestar nossa sincera gratidão a ele e a sua equipe. Agradecemos também a Christopher Barber pela tradução e edição, e não menos por seus comentários inteligentes. Agradecemos, por fim, às seguintes pessoas e organizações por facilitar o uso de material protegido por direitos autorais: Karen Pelaez, da Harvard University Press; Rachel Atkinson, da Penguin Books; Catherine Trippett, da Random House; e Stephanie Ebdon e Tom Roberts, da Sigmund Freud Copyrights.

Hannes Etzlstorfer e Peter Nömaier

# I
# O Homem em Sua Vida Privada

*"Os amigos são, afinal de contas, as aquisições mais preciosas..."*

Barba bem aparada, bem-vestido, postura ereta. Seu olhar furioso perscruta analiticamente o espectador e ele tem na mão o onipresente charuto. Sigmund Freud é conhecido no mundo inteiro por meio de inúmeras reproduções de imagens como essa. A mais famosa dessas fotos foi tirada por seu genro Max Halberstadt, o que dá origem a um interessante subtexto: a pessoa para quem se voltava o olhar penetrante de Freud é o marido de sua amada filha Sophie.

As relações de Freud com Halberstadt eram melhores do que a fotografia talvez dê a entender, como demonstra uma carta comovente escrita por ocasião do noivado do casal. Na carta, Freud entrega Sophie, com toda a cerimônia, nas mãos de Halberstadt, expressando seu afeto pela filha e sua confiança no novo genro. O casamento começou bem, em 1913, mas terminou tragicamente sete anos depois, com a trágica morte de Sophie aos 27 anos de idade. Freud, que já ficara bastante abalado com a morte do pai, em 1896, teve imensa dificuldade para superar essa perda. Nas cartas que falam desses trágicos golpes do destino, vem à tona um lado emocional da personalidade de Freud que até hoje permanece desconhecido. Segundo seus biógrafos, Freud, nos relacionamentos mais íntimos, era uma pessoa distante. Nas cartas, contudo, ele sabia demonstrar amor e apoio e se abria em confidências; algumas, escritas em seus anos de juventude, chegam a revelar apaixonadas manifestações de sentimento. As cartas a sua noiva Martha Bernays, escritas quando ela ainda morava em Hamburgo, estão repletas de passagens em que ele expressa poeticamente seu amor e suas saudades. Uma correspondência intensa com Martha constituiu-se ao longo dos anos, e assim também com sua irmã Minna Bernays, que, após a morte do noivo, mudou-se para o apartamento da família no número 19 da Rua Berggasse e ali residiu até o fim de sua vida, sempre solteira – a "Tia Minna".

Ao lado de sua vida profissional intensa, caracterizada por dias inteiros repletos de sessões de análise seguidas pelo trabalho na escrivaninha até tarde da noite, Freud tinha pouco tempo para dedicar a outras atividades. Não obstante, seu entusiasmo pelas viagens é bem documentado, e suas recreações mais frequentes eram as reuniões semanais para jogar baralho e idas ocasionais a uma cafeteria. Seu irmão Alexander Freud era um importante parceiro nessas atividades de lazer. Dez anos mais novo que Sigmund e também importante na academia – era professor na instituição precursora da Universidade Econômica de Viena –, era seu confidente, seu companheiro de viagem e seu parceiro de jogo. Segundo a literatura biográfica, a vida ao lado do jovem Sigmund era muitas vezes difícil para seus irmãos: precoce e intelectualmente dotado, ele logo desenvolveu a ambição que o caracterizou ao longo de toda a sua vida. Muitas de suas cartas a Martha e a Eduard Silberstein, seu amigo de juventude, nos dão pistas sobre como foi sua educação. Chamado de "Sigi de Ouro" pela mãe, Freud foi o primeiro da classe por muitos anos e não fazia questão de esconder seu sentimento de superioridade.

O processo pelo qual ele se transformou de um jovem médico num teórico reconhecido está bem documentado em sua correspondência com Wilhelm Fliess. A partir de 1887, Freud trocou ideias sobre assuntos teóricos, médicos e particulares com esse médico berlinense, e uma íntima amizade logo se desenvolveu entre os dois. Nessas cartas, Freud se mostra extraordinariamente sincero e aberto, demonstrando com frequência um grande senso de humor. Freud falava abertamente de seu consumo de cocaína, por exemplo, em suas cartas a Martha – na época não havia lei alguma proibindo o uso da droga e ele não via motivo para mantê-lo em segredo. A amizade entre os dois médicos baseava-se antes de tudo na ausência de reconhecimento com que suas teorias revolucionárias se depararam junto aos médicos ortodoxos. Fliess, nascido em 1858, era otorrinolaringologista em Berlim, onde também se dedicou a estudar os processos cíclicos de doença e saúde. Embora tenha sido presidente da Academia Alemã de Ciências, nunca foi capaz de alcançar um sucesso significativo como cientista. Freud, por sua vez, não somente pediu que Fliess lesse seus manuscritos como também partilhava com ele aspectos íntimos de sua vida e suas emoções. Suas cartas relatam, por exemplo, quanto ele sofreu com a morte do pai e se alegrou com o nascimento dos filhos. Com o tempo, Freud e Fliess acabaram entrando em conflito em torno de temas científicos; essa controvérsia pesou sobre sua amizade e levou-os, por fim, a romper contato um com o outro. Em 1904, depois de anos sem trocarem carta alguma, Fliess acusou Freud de haver comunicado suas teorias ao jovem e controverso filósofo austríaco Otto Weininger, que atraía muita atenção apresentando-as como se fossem de sua lavra. O afastamento dos ex-amigos assumiu então o aspecto de um amargo rompimento.

A partir de 1923, a vida de Freud foi dominada pela sombra do câncer. Abandonado pelos médicos durante semanas num estado de incerteza, Freud sabia muito bem o que o tumor na mandíbula lhe acarretaria. Até então prestara pouca atenção à saúde, mas foi, nessa ocasião, obrigado a observar um regime rigoroso, no qual o esforço para parar de fumar (até vinte charutos por dia) o consumiu durante muito tempo. Freud sofreu, ao todo, 33 cirurgias na mandíbula e no céu da boca. Não se deixou, porém, abater, e continuou trabalhando em seus escritos, conquanto a filha Anna tenha aos poucos se tornado sua porta-voz: as operações e a prótese oral que ele fora obrigado a usar dificultavam-lhe a fala, de modo que era ela quem lia seus artigos nas conferências internacionais, tornando-se, segundo ele, sua "Antígona". Foi também a prisão de Anna pela Gestapo após a ocupação nacional-socialista, em 1938, que finalmente convenceu Freud a abandonar Viena e encarar, aos 82 anos, as agruras de fugir para a Inglaterra. Maria Bonaparte, princesa da Dinamarca e da Grécia, desempenhou um papel crucial na facilitação da mudança. Trechos da sua correspondência com Freud dão testemunho de como ela foi se tornando íntima da família com o correr dos anos. Em 23 de setembro de 1939, alquebrado pela idade e pela luta contra o câncer, Freud pôs fim à vida voluntariamente com a ajuda de Max Schur, um médico de sua confiança.

1   "Os amigos são, no fim das contas, as mais preciosas aquisições [...]"

2   "Não nego que gosto de ter razão."

3   "Quem quer que escreva uma biografia compromete-se com a mentira, a dissimulação, a hipocrisia, a lisonja e até a ocultação de sua própria falta de conhecimento, pois a verdade biográfica não existe e, se existisse, não teria utilidade para nós."

4   "[...] Nem todos os homens são dignos de amor."

5   "É impossível fugir à impressão de que as pessoas usam, habitualmente, falsos padrões de medida – que buscam o poder, o sucesso e a riqueza para si e os admiram nos outros, e subestimam o que, na vida, tem verdadeiro valor."

6   "Com a ajuda da audácia e da falta de consciência necessárias, não é difícil juntar uma grande fortuna; e um título será, evidentemente, a digna recompensa de tais serviços."

7   "Não posso imaginar quem inventou a história de que os vestidos femininos são tão caros que o homem não tem coragem de se casar!"

8   "Se tivesse sido um filho, haver-te-ia enviado a notícia por telegrama, pois ele teria recebido teu nome. Como acabou sendo uma filhinha chamada Anna, apresento-a a ti com certo atraso."

"Annerl (*Anna Freud*) é voraz como deve ser e, graças a sua mãe sem espírito científico, tem seis dentes não observados." 9

"Não escapou ao teu conhecimento o fato de o destino haver-me dado, em compensação pelo muito que me foi negado, uma filha (*Anna Freud*) que, em circunstâncias trágicas, nada fica a dever a Antígona." 10

"Como é belo o arranjo da Natureza pelo qual a criança, assim que vem ao mundo, encontra uma mãe pronta para cuidá-la!" 11

"As necessidades da vida e 'a hora do dever, invariável, que ainda retorna' são fontes de conforto nesta época de tristeza." 12

"O sofrimento nos ameaça de três direções: do nosso próprio corpo, fadado ao decaimento e à dissolução, que sequer é capaz de viver sem que a dor e a ansiedade lhe sirvam de sinais de alerta; do mundo externo, que se alteia contra nós com forças destrutivas impiedosas e irresistíveis; e, por fim, da nossa relação com outros homens. O sofrimento advindo desta última fonte talvez seja mais doloroso para nós que qualquer outro." 13

"A felicidade, contudo, é algo essencialmente subjetivo." 14

"Somos feitos de tal modo que somente os contrastes conseguem nos provocar um prazer intenso, ao passo que sentimos muito pouco prazer com um estado de coisas. Assim, nossas possibilidades de felicidade já são restringidas por nossa constituição." 15

16  "Nos últimos quinze anos, nenhuma vez posei de bom grado para um fotógrafo, pois sou vaidoso demais para aceitar minha deterioração física."

17  "Dois charutos por dia – assim se reconhece o não fumante!"

18  "Preciso de muita cocaína. Além disso, voltei a fumar, moderadamente, nas últimas duas ou três semanas, depois que a convicção nasal* se tornou evidente para mim. Não observei em decorrência disso nenhuma desvantagem."

19  "Gravata branca e luvas brancas, até uma camisa limpa, uma cuidadosa escovação nos poucos cabelos que me restam, e assim por diante. Um pouquinho de cocaína, para destravar-me a língua."

20  "Meu pai parece estar no leito de morte; está às vezes confuso e parece mirrar-se continuamente, avançando rumo à pneumonia e a uma data fatídica."

21  "Eu mesmo ainda tenho uma mãe, e ela me obstaculiza o caminho rumo ao repouso tão esperado, ao eterno nada; de algum modo, eu não seria capaz de me perdoar se morresse antes dela."

22  "É difícil, no fim das contas, conseguirmos satisfazer uns aos outros plenamente; em toda pessoa nos falta algo e há algo a se criticar."

---

* Freud se refere aqui à convicção de que seus problemas cardíacos teriam uma origem nasal e nenhuma relação com o tabagismo, o que lhe dava liberdade para voltar a fumar. (N. do T.)

"Em minha vida, como sabes, a mulher jamais substituiu o camarada, o amigo." 23

"Aos poucos vou me acostumando ao vinho; parece-me já um velho amigo." 24

"Nas noites de sábado, fico à espera de uma orgia de baralho, e terça-feira sim, terça-feira não, passo-as na companhia de meus confrades judeus, a quem dei há pouco tempo outra palestra." 25

"Sei que sou alguém, sem que necessite de contínuo reconhecimento." 26

"Mal sou capaz de detalhar-te todas as coisas que, para mim (um novo Midas!), se resolvem em excremento. Tudo isso se encaixa perfeitamente com a teoria do fedor interno. Acima de tudo, o próprio dinheiro." 27

"Ser saudável é maravilhoso, desde que não nos condene à solidão." 28

"Considero uma grande infelicidade que a natureza não me tenha brindado com aquele 'algo' indefinido que atrai as pessoas." 29

"Creio que as pessoas veem em mim algo de estranho, e a verdadeira razão é que, na juventude, nunca fui jovem; e, agora que estou entrando na maturidade, não sou capaz de amadurecer adequadamente." 30

31  "Não sou sequer muito dotado; toda a minha capacidade de trabalho nasce provavelmente do meu caráter e da ausência de fraquezas intelectuais extraordinárias."

32  "Examinei-me de forma cabal e cheguei à conclusão de que não preciso mudar muito."

33  "Há pouco tempo, vi o *Paracelso* de Schnitzler; admirei-me com quanto um poeta sabe."

34  "Chegaste também agora ao teu sexagésimo aniversário, ao passo que eu, seis anos mais velho, estou chegando ao limite da vida e posso ter a expectativa de assistir em breve ao quinto ato desta comédia incompreensível e nem sempre engraçada."

35  "Penso que tenho evitado a tua pessoa em razão de uma certa relutância em encontrar alguém exatamente igual a mim."

36  "Com efeito, creio que, fundamentalmente, tens a natureza de um explorador das profundezas da psique, tão honesto, imparcial e intimorato quanto possível; e que, se não tivesses tal constituição, teu talento artístico, teus dons para a linguagem e tua capacidade criativa teriam rédea solta e haver-te-iam transformado num escritor de grande apelo para o gosto das massas."

37  "Na velhice, pareço estar desenvolvendo um grande talento para gozar a vida."

"Há quatro semanas sofri uma das minhas operações habituais, 38
à qual seguiu-se uma dor anormalmente violenta, de modo que
tive de cancelar o trabalho por doze dias, os quais passei deitado,
com dor e bolsas de água quente, no divã em que outros deveriam deitar-se."

"O ser humano é sumamente infeliz quando tudo o que quer é 39
permanecer vivo."

"Afinal de contas, não queremos morrer imediata nem comple- 40
tamente."

"Com frequência, invejo em Einstein a juventude e a energia que 41
lhe permitem suportar tantas causas com tanto vigor. Não somente estou velho, fraco e cansado, como também vivo sobrecar-
regado por pesadas obrigações financeiras."

"É claro que ainda não tenho muito entusiasmo por comemora- 42
ções, especialmente quando existem para nos lembrar de quão ve-
lhos nos tornamos."

"A ideia de uma velhice pacífica parece tão lendária quanto a de 43
uma juventude feliz."

"Uma crosta de indiferença vem se formando aos poucos ao meu 44
redor, e cito esse fato sem me queixar. Trata-se de um desenvolvimento natural, de um modo de começar a ser inorgânico. Penso
que se chama 'o desprendimento da velhice'."

45 "Acaso faz sentido que um homem da minha idade procure encher sua biblioteca? No interesse de seus herdeiros, na melhor das hipóteses."

46 "Estou livre de preocupações materiais, rodeado de uma popularidade que me desagrada e envolvido em empreendimentos que me roubam o tempo e o ócio necessários para um trabalho científico tranquilo."

47 "Não quero ter 89 anos. Isso é cruel."

48 "Os tempos são sombrios; felizmente, não cabe a mim tentar clareá-los."

49 "Não me permitem sequer subir alguns degraus; em outras palavras, não suportaria os esforços de uma longa viagem. Estou, além disso, amarrado a meu cirurgião, que vem me mantendo vivo há catorze anos. Serei, assim, obrigado a permanecer aqui, mesmo que nuvens negras continuem se formando no horizonte. Na hipótese improvável de que a vida e a liberdade se vejam ameaçadas, uma rápida viagem de carro, através de Pressburg (*a atual Bratislava, do outro lado da fronteira com a Eslováquia*), pôr-me-á em segurança."

50 "Todas as nossas coisas chegaram incólumes. Há aqui muito mais espaço para os objetos de minha coleção, que causam mais impressão do que em Viena. É claro que agora a coleção está morta – nada mais lhe será acrescentado – e que seu proprietário, mais ou menos do mesmo modo, está tão morto quanto ela."

"O mais – saberás a que me refiro – é silêncio."  51

"O custo de meu funeral deverá ser *tão baixo quanto possível*: da  52
categoria mais simples, *nenhum* elogio fúnebre, *nenhum* anúncio
*ex post facto*. Prometo não me magoar com a ausência de toda e
qualquer demonstração de 'piedade'. Se for conveniente e barato:
cremação. Caso eu seja famoso à época de minha morte – nunca
se sabe –, isso não deverá fazer nenhuma diferença."

"Vejo uma nuvem de calamidades passando sobre o mundo, até  53
sobre este pequeno mundo meu."

## Fontes

1  *Freud/Jung*, 1991, p. 194, 19 de junho de 1910.
2  *Freud/Jung*, 1991, p. 252, 31 de dezembro de 1911.
3  *Freud/Zweig*, 1970, p. 127, 31 de maio de 1936.
4  *Civilization*, 1961, p. 102.
5  *Civilization*, 1961, p. 64.
6  *Jokes*, 1961, p. 43.
7  *Letters*, 1961, p. 149, 6 de junho de 1885, a Martha Bernays.
8  *Freud/Fliess*, 1985, p. 153, 3 de dezembro de 1895.
9  *Freud/Fliess*, 1985, p. 196, 12 de agosto de 1896.
10  *Freud/Zweig*, 1970, p. 66, 25 de fevereiro de 1934.
11  *Jokes*, 1961, p. 60.
12  *Briefe an die Kinder*, 2010, p. 555, 26 de janeiro de 1920, a Max Halberstadt.
13  *Civilization*, 1961, p. 77.
14  *Civilization*, 1961, p. 89.
15  *Civilization*, 1961, p. 76 s.
16  *Freud/Jung*, 1991, p. 81, 19 de setembro de 1907.

17  *Freud/Fliess*, 1985, p. 63, 11 de dezembro de 1893.
18  *Freud/Fliess*, 1985, p. 132, 12 de junho de 1895.
19  *Letters*, 1961, p. 193, 18 de janeiro de 1886, a Martha Bernays.
20  *Freud/Fliess*, 1985, p. 199, 29 de setembro de 1896.
21  *Letters*, 1961, p. 392, 1º de dezembro de 1929, a Max Eitingon.
22  *Letters*, 1961, p. 372, 20 de novembro de 1926, a Ernest Jones.
23  *Freud/Fliess*, 1985, p. 447, 7 de agosto de 1901.
24  *Freud/Fliess*, 1985, p. 357, 27 de junho de 1899.
25  *Freud/Fliess*, 1985, p. 404, 23 de março de 1900.
26  *Letters*, 1961, p. 105, 19 de abril de 1884, a Martha Bernays.
27  *Freud/Fliess*, 1985, p. 288, 22 de dezembro de 1897.
28  *Letters*, 1961, p. 142, 29 de abril de 1885, a Martha Bernays.
29  *Letters*, 1961, p. 199, 27 de janeiro de 1886, a Martha Bernays.
30  *Letters*, 1961, p. 202, 2 de fevereiro de 1886, a Martha Bernays.
31  *Letters*, 1961, p. 202, 2 de fevereiro de 1886, a Martha Bernays.
32  *Letters*, 1961, p. 226, 3 de maio de 1889, a Josef Breuer.
33  *Freud/Fliess*, 1985, p. 348, 19 de março de 1899.
34  *Letters*, 1961, p. 339, 14 de maio de 1922, a Arthur Schnitzler.
35  *Letters*, 1961, p. 339, 14 de maio de 1922, a Arthur Schnitzler.
36  *Letters*, 1961, p. 340, 14 de maio de 1922, a Arthur Schnitzler.
37  *Letters*, 1961, p. 276, 25 de setembro de 1908, à família.
38  *Freud/Zweig*, 1970, p. 158, 21 de março de 1938.
39  *Letters*, 1961, p. 171, 14 de agosto de 1885, a Martha Bernays.
40  *Freud/Fliess*, 1985, p. 74, 21 de maio de 1894.
41  *Freud/Zweig*, 1970, p. 6, 20 de fevereiro de 1929.
42  *Briefe an die Kinder*, 2010, p. 322, 8 de maio de 1921, a Ernst Freud.
43  *Letters*, 1961, p. 336, 20 de dezembro de 1921, a Ernst e Lucie Freud.
44  *Letters*, 1961, p. 360, 10 de maio de 1925, a Lou Andreas-Salomé.
45  *Letters*, 1961, p. 380, 12 de maio de 1928, a Havelock Ellis.
46  *Letters*, 1961, p. 338, 24 de janeiro de 1922, a Max Eitingon.
47  *Briefe*, 1968, p. 219, 8 de março de 1886, a Rosa Freud.

48 *Letters*, 1961, p. 425, 2 de maio de 1935, a Arnold Zweig.
49 *Briefe an die Kinder*, 2010, p. 440, 22 de fevereiro de 1938, a Ernst Freud.
50 Carta a Margaret Stonborough-Wittgenstein, Arquivo Sigmund Freud, Viena.
51 *Letters*, 1961, p. 442, 19 de abril de 1938, a Alexander Freud.
52 *Briefe an die Kinder*, 2010, p. 214, 31 de janeiro de 1919.
53 *Freud/Zweig*, 1970, p. 101, 13 de fevereiro de 1935.

# II
# Viena e o Mundo

*" Viena me pesa,
e talvez mais do que devia. "*

Sigmund Freud nasceu em 1856 na cidade de Freiberg (Příbor, em tcheco), na Morávia, que na época fazia parte do Império Habsburgo. Em 1859, seu pai decidiu se mudar e, após breve estadia em Leipzig, a família se instalou em Viena, onde Sigmund frequentava o *Gymnasium*. Freud afirmava ter tido uma infância feliz em Freiberg, mas sua relação com Viena foi ambivalente desde muito cedo.

Na época da faculdade, ao mais tardar, o maravilhamento de Freud perante a beleza da paisagem e dos edifícios vienenses já era contrabalançado por sua aversão pela sociedade vienense, sentimento que, aliás, caracterizava boa parte dos habitantes da cidade. A atitude de Freud foi, acima de tudo, um produto do antissemitismo que ele confrontou desde a juventude. Para Freud, a política austríaca era fonte de permanente indignação; serviu-lhe de inspiração para inúmeros comentários mordazes contra o prefeito Karl Lueger, francamente antissemita, e os Habsburgo em geral. Do seu ponto de vista, o cerimonial da corte e as opulentas aparições públicas da monarquia eram ridículos e anacrônicos. Nem no sono ele conseguia fugir à onipresente aristocracia – como se vê pelo sonho com o Conde Thun, de que se fala em *A interpretação dos sonhos*.

Freud considerava a moral sexual vienense mais liberal que a de muitas outras cidades, o que o levou a rejeitar a ideia, expressa por muitos de seus contemporâneos, de que a psicanálise só poderia ter surgido em Viena. Na verdade, ele fez questão de frisar várias vezes que Viena nada fizera para promover o crescimento da psicanálise. Pelo contrário, queixava-se da falta de apoio da universidade e dos médicos.

Ou seja, Freud voltou-se para outros países desde o começo do desenvolvimento da psicanálise. Isso correspondia, aliás, à sua predisposição pessoal: sua vida foi caracterizada por viagens frequentes e por várias estadias prolongadas no estrangeiro. Na juventude, suas viagens eram frequentemente ocasionadas pelo interesse amoroso: Martha Bernays, depois Martha Freud, morava na cidade de Wandsbek, no norte da Alemanha (faz parte, hoje, da cidade de Hamburgo), e Freud a visitava sempre que possível. Enquanto estudava, muitas vezes foi obrigado a pedir dinheiro emprestado para fazer a viagem, sobretudo a seu mentor Josef Breuer. Duas bolsas de pesquisas permitiram que o jovem médico se ausentasse de Viena por períodos mais longos: em Trieste, ele estudou os órgãos sexuais das enguias e, em Paris, passou um semestre na Salpêtrière sob a tutela do famoso neurologista Jean-Martin Charcot. Embora tivesse imensa admiração por Charcot, os franceses em geral não o impressionaram muito. Isso não o impediu, por outro lado, de visitar a França em várias ocasiões.

Freud gostava de passar o verão excursionando pelas montanhas: as caminhadas e a colheita de cogumelos na região alpina ao redor de Reichenau, uma cidadezinha a duas horas de trem de Viena, proporcionavam-lhe a recreação de que ele precisava para descansar do trabalho. As férias familiares nessa localidade – ou, às vezes, nas montanhas de Salzkammergut, na Áustria, ou de

Berchtesgaden, na Baviera – geralmente duravam várias semanas, durante as quais, à noite, Freud trabalhava com diligência em seus escritos. Partes importantes de numerosos textos fundamentais foram redigidas originalmente em seus verões alpinos.

O mundo mediterrâneo também exercia forte atração sobre Freud, sobretudo em razão de seu atilado interesse pela antiguidade. A Itália era seu destino preferido, como o provam suas várias estadias em Roma e suas viagens à Sicília e aos Alpes italianos. Nessas viagens, ele era geralmente acompanhado pela esposa Martha, pela cunhada Minna ou pelo irmão Alexander.

Os congressos e as palestras mantiveram Freud viajando pela Europa mesmo em idade avançada. Sublinhando o caráter internacional do movimento psicanalítico, os congressos de psicanálise se distribuíam estrategicamente por todo o continente. Em 1909, acompanhado por C. G. Jung e outros psicanalistas, Freud deu uma série de palestras nos Estados Unidos. A viagem foi motivada tanto por fins econômicos quanto pelo desejo de despertar na América o conhecimento de sua obra. A visita de Freud foi tratada nos Estados Unidos como uma ocasião muito importante; ele foi de opinião que os cientistas norte-americanos dedicavam-lhe o respeito que lhe fora injustamente negado na Europa – e, particularmente, em Viena. Quanto aos Estados Unidos em si, Freud não era tão entusiasta; apesar de numerosas propostas, decidiu nunca mais voltar a esse país. Em seus últimos anos de vida, a doença de Freud obrigou-o a reduzir as viagens, embora também o tenha feito ir a Berlim em algumas ocasiões para tratar-se.

Em 1938, Adolf Hitler anunciou a anexação da Áustria pela Alemanha nazista. Freud teve de fugir para o exílio e empreendeu então sua última grande viagem, embarcando no Expresso do Oriente e abandonando Viena em definitivo para morrer em liberdade. Em 6 de junho, ao chegar a Londres depois de breve estadia em Paris, ele admitiu que sentia certas saudades de Viena, a "prisão que [...] eu ainda amava imensamente".

1 "Viena me pesa, e talvez mais do que devia."

2 "No mais, Viena é Viena, ou seja, repugnante ao extremo."

3 "Tenho horror a Viena e, voltando de Berlim, esse horror triplicaria."

4 "O sentimento de triunfo pela libertação tem uma mistura muito forte de sofrimento, pois, apesar de tudo, eu ainda amava imensamente a prisão de que fui libertado. O encanto do novo lugar (que nos faz querer gritar 'Heil Hitler!') se mescla com o descontentamento causado por pequenas peculiaridades de um ambiente estranho. A feliz expectativa de uma nova vida é abafada pela pergunta: Por quanto tempo um coração fatigado será capaz de se dedicar ao trabalho? Sob o impacto da doença no piso superior – ainda não me permitiram vê-la (*Minna*) –, a dor no coração se transforma numa inegável depressão."

5 "Penso que sabes que os ingleses, depois de criarem a noção de conforto, se recusaram terminantemente a ter qualquer outra coisa a ver com ela."

6 "Que Deus faça chover sobre a França algumas doses saudáveis de fogo do inferno!"

7 "A quantas coisas temos de renunciar! E, em troca delas, somos cobertos de honrarias (como a Liberdade da Cidade de Viena) em nome das quais jamais teríamos levantado um dedo."

"A ideia é que a psicanálise, e particularmente sua tese de que as 8
neuroses se originam de distúrbios da vida sexual, só poderia ter-
-se originado numa cidade como Viena – com sua atmosfera de
sensualidade e imoralidade, que outras cidades não têm – e que
é mero reflexo ou projeção teórica, por assim dizer, dessas características peculiarmente vienenses. Ora, eu, de minha parte, não
sou nem um pouco patriota; mas essa teoria sobre a psicanálise
sempre me parece excepcionalmente disparatada – tão disparatada, na verdade, que às vezes me senti tentado a pensar que essa
censura por ser um cidadão de Viena não passa de substituto eufe-
místico de outra censura que ninguém teria coragem de decla-
rar abertamente."

"Os vienenses não são nem mais abstêmios nem mais neuróticos 9
que os habitantes de qualquer outra capital. Há, antes, menos em-
baraço – menos puritanismo – no tocante às relações sexuais do
que nas cidades do Oeste e do Norte, que tanto se orgulham de
sua castidade."

"Como se as coisas mais inúteis do mundo não se dispusessem 10
na seguinte ordem: colarinhos de camisa, filósofos e monarcas."

"Pensei na frase sobre os grandes cavalheiros que se tinham dado 11
ao trabalho de nascer, e no *droit du Seigneur* (o direito do senhor)
que o Conde Almaviva tentou exercer sobre Susanna. Pensei também em como nossos maliciosos jornalistas da oposição graceja-
vam com o nome do Conde Thun, chamando-o, em vez disso, de
'Conde Nichtsthun' *(Conde Faz-Nada)*. Não que eu o invejasse.

Ele estava a caminho de uma espinhosa audiência com o Imperador, enquanto eu era o verdadeiro Conde Faz-Nada – de partida para minhas férias."

12 "Há pouco tempo, num devaneio diurno (dos quais ainda não estou livre de maneira alguma), dirigi com veemência as seguintes palavras a Sua Excelência, o Ministro da Educação: 'Não podes me assustar. Sei que ainda serei professor universitário muito tempo depois de deixares de seres chamado ministro'."

13 "Em suma, vamos levando; e sabe-se em geral que a vida é muito difícil e muito complicada, e, como dizemos em Viena, há muitos caminhos que levam ao Cemitério Central."

14 "A morte de Billroth (*renomado cirurgião de Viena*) é, por aqui, o acontecimento do dia. Como é invejável não haver sobrevivido a si mesmo."

15 "A Hungria, geograficamente tão próxima da Áustria e cientificamente tão distante dela, produziu somente um colaborador, S. Ferenczi; mas este, com efeito, tem mais peso que toda uma sociedade."

16 "A maioria dos meus seguidores e colaboradores atuais chegou a mim através de Zurique, mesmo os que, geograficamente, estavam mais próximos de Viena que da Suíça."

"Entre os países europeus, a França é o que, até agora, mostrou-se menos disposto a acolher a psicanálise, embora os úteis trabalhos em francês de A. Maeder, de Zurique, tenham-lhe proporcionado fácil acesso a suas teorias." 17

"Quando entramos numa loja aqui, tudo o que ali habita grita em uníssono: '*Monsieur!*', apenas para nos enganar, em seguida, com um sorriso frio e impertinente." 18

"São um povo dado a epidemias psíquicas, convulsões históricas em massa, e não mudaram desde que Victor Hugo escreveu *Notre Dame*." 19

"A *grande nation* é incapaz de encarar a ideia de poder ser derrotada na guerra. Proporciona um exemplo de paranoia de massa e inventa a ilusão de uma traição. O alcoólatra jamais admitirá para si próprio que a bebida o deixou impotente. Por mais que tolere o álcool, não tolera essa intuição. Por isso, a culpada é a esposa — delírios de ciúmes e por aí afora." 20

"A Sicília é a região mais bonita da Itália e preservou fragmentos únicos da Grécia antiga, reminiscências infantis que possibilitam inferir o complexo nuclear." 21

"A coisa mais difícil em Roma, onde nada é fácil, é fazer compras." 22

"Palermo foi um incrível banquete, algo que ninguém, realmente, deve desfrutar sozinho." 23

24 "Breslávia também tem um papel nas minhas memórias de infância. Aos 3 anos de idade, passei pela estação quando nos mudávamos de Freiberg a Leipzig, e as chamas de gás que ali vi pela primeira vez me lembraram almas queimando no inferno."

25 "Estou sentado aqui nos Tatras, tiritando. Se existe um paraíso gelado, é este; mas o paraíso deve ser quente, até bem quente, e o vento deve soprar morno, não como esta tempestade fria que tenta levar o papel enquanto escrevemos."

26 "Lá no fundo de mim, conquanto encoberta, ainda vive a criança feliz de Freiberg, o primogênito de uma mãe jovem, o menino que recebeu deste ar, deste solo, suas primeiras impressões indeléveis."

27 "No restaurante Stadt Freiberg, sentei-me entre os filisteus de Leipzig, ouvindo-os falar e observando-lhes o rosto. Falam tanta bobagem quanto o povo daí, mas parecem mais humanos; não vejo aqui tantos rostos grotescos e animalescos, tantos crânios deformados e tantos narizes de batata."

28 "Não creio que a Alemanha vá demonstrar qualquer simpatia pelo nosso trabalho até que algum figurão manifeste solenemente o seu assentimento. O caminho mais simples talvez seja despertar o interesse do Kaiser Guilherme – que, é claro, compreende tudo."

29 "Fomos recebidos em Londres de maneira muito cordial. Os jornais mais sérios têm publicado notas breves e amistosas de boas-vindas. Certamente aguarda-nos todo tipo de espalhafato."

"Tudo aqui é bastante estranho, difícil e, não raro, desconcertante, mas ao mesmo tempo este é o único país em que podemos viver, visto ser a França impossível em razão da língua."

"Já recusei dois convites para viajar aos Estados Unidos a fim de dar palestras e tratar pacientes. Seria, sem sombra de dúvida, uma provação terrível com pouca possibilidade de lucro."

"Muito contra a minha vontade, tenho de viver como um norte-americano: sem tempo para a libido."

"Sabe, quando viajamos à América, a viagem até Stockerau (*a uma hora de trem de Viena*) passa bem rápido, mas a partir dali o tempo começa a se arrastar. E a viagem de volta é igual: o último trecho, a partir de Stockerau, parece extremamente lento."

"É impossível falar sobre a terra a menos que se seja poeta ou se citem outras pessoas."

## Fontes

1. *Letters*, 1961, p. 212, 10 de março de 1886, a Martha Bernays.
2. *Freud/Fliess*, 1985, p. 409, 16 de abril de 1900.
3. *Freud/Fliess*, 1985, p. 371, 11 de setembro de 1899.
4. *Letters*, 1961, p. 446, 6 de junho de 1938, a Max Eitingon.
5. *Letters*, 1961, p. 390, 28 de julho de 1929, a Lou Andreas-Salomé.
6. *Freud/Minna Bernays*, 2005, p. 210, 28 de julho de 1889.
7. *Letters*, 1961, p. 350, 13 de maio de 1924, a Lou Andreas-Salomé.
8. *History of the Movement*, 1961, p. 39 s.
9. *History of the Movement*, 1961, p. 40.
10. *Freud/Silberstein*, p. 52, 22 de agosto de 1874.
11. *Dreams*, 1961, p. 209.
12. *Freud/Fliess*, 1985, p. 293, 4 de janeiro de 1898.
13. *Freud/Fliess*, 1985, p. 22, 28 de maio de 1888.
14. *Freud/Fliess*, 1985, p. 66, 7 de fevereiro de 1894.
15. *History of the Movement*, 1961, p. 33.
16. *History of the Movement*, 1961, p. 27.
17. *History of the Movement*, 1961, p. 32.
18. *Freud/Minna Bernays*, 2005, p. 118, 18 de outubro de 1885.
19. *Letters*, 1961, p. 188, 3 de dezembro de 1885, a Minna Bernays.
20. *Freud/Fliess*, 1985, p. 110, 24 de janeiro de 1895.
21. *Letters*, 1961, p. 198, 24 de setembro de 1910, a C. G. Jung.
22. *Letters*, 1961, p. 260, 21 de setembro de 1907, à família.
23. *Letters*, 1961, p. 280, 15 de setembro de 1910, a Martha Freud.
24. *Freud/Fliess*, 1985, p. 285, 3 de dezembro de 1897.
25. *Letters*, 1961, p. 319, 13 de julho de 1917, a Lou Andreas-Salomé.
26. *Letters*, 1961, p. 408, 25 de outubro de 1931, ao prefeito de Příbor.
27. *Letters*, 1961, p. 79, 12 de dezembro de 1883, a Martha Bernays.
28. *Freud/Jung*, p. 70, 18 de agosto de 1907.
29. *Letters*, 1961, p. 445, 6 de junho de 1939, a Max Eitingon.

30 *Letters*, 1961, p. 453, 4 de outubro de 1938, a Marie Bonaparte.
31 *Briefe an die Kinder*, 2010, p. 319, 16 de janeiro de 1921, a Ernst Freud.
32 *Freud/Jung*, p. 162, 17 de outubro de 1909.
33 *Letters*, 1961, p. 157 s., 6 de junho de 1885, a Martha Bernays.
34 *Letters*, 1961, p. 249, 17 de setembro de 1905, a Alexander Freud.

# III
# Sociedade
# e Cultura

"Nossa civilização se ergue,
falando de modo geral,
sobre a supressão dos instintos."

O que dá coesão à nossa sociedade? Quais princípios governam a coexistência humana e quais fatores promovem o desenvolvimento das civilizações? Quando Freud se propõe a responder tais perguntas, adota, em geral, uma abordagem extremamente expansiva e especulativa, como no ensaio *O mal-estar na civilização*, publicado em 1930. Nessa obra, Freud retornava – ao cabo de um caminho vitalício de desenvolvimento intelectual abarcando as ciências naturais, a medicina e a psicoterapia – ao problema das origens da civilização humana, que já o ocupara na juventude.

Não foi somente na juventude e na velhice, contudo, que Freud abordou questões ligadas à sociedade e à cultura: elas permeiam toda a sua obra científica. Em *O mal-estar na civilização*, Freud destilou muitos pensamentos sobre esse tema em sua análise do antagonismo entre a civilização e a vida do instinto. O ser humano, na qualidade de "incansável buscador do prazer", é dirigido em suas ações por dois princípios fundamentais: evitar a dor e o "desprazer" e buscar a satisfação dos impulsos a fim de alcançar o prazer. Em geral, o primeiro princípio – evitar a dor – predomina, muito embora todo ser humano logo perceba, pela experiência, que as realidades da vida restringem severamente a consecução desses dois objetivos primários. A dor e o sofrimento são inescapáveis, ao passo que a felicidade só pode ser alcançada de modo temporário: quando o estímulo do qual deriva perde sua novidade, o prazer logo desaparece. Para alcançar a felicidade, no entanto, o ser humano civilizado se dispõe a sacrificar até a segurança.

A civilização também envolve o poder: o equilíbrio entre as exigências do indivíduo e as da sociedade depende da constituição cultural desta. Em sua teoria da sociedade, Freud aborda a questão do monopólio do poder, contrastando o poder do indivíduo – tantas vezes difamado e denegrido como mera "força bruta" – com o do grupo, o qual se manifesta como "direito". Para Freud, a civilização dá seu passo decisivo quando uma sociedade consegue suplantar o poder do indivíduo por meio do poder do grupo. É diante desse pano de fundo que Freud desenvolve sua análise da sociedade e da cultura, marcado por conceitos como os de repressão, sublimação e "superego cultural". A substância do pensamento de Freud se revela em sua suposição de que todas as formas de civilização necessariamente obrigam o indivíduo a suprimir certos impulsos nocivos à coexistência do grupo.

Aqui, Freud observa que, na família, era o homem quem podia dar vazão aos ímpetos contínuos de seu impulso sexual, ao passo que a responsabilidade mais premente da mulher tornou-se a de proteger o filho como se fosse uma parte dela mesma. A necessidade e as obrigações do trabalho produtivo levaram os seres humanos a organizar-se em grupos a fim de aliviar as labutas da vida. Esse processo evidenciou a contradição entre os interesses da mulher e os deveres da civilização: segundo Freud, eram os homens que agiam para atender aos deveres cada vez mais numerosos do grupo civilizado, sendo portanto obrigados a dirigir sua energia instintiva para os objetivos correspondentes. A transformação ocorreu à custa da mulher, que não somente sentiu-se em desvantagem, como também começou a assumir uma postura cada vez mais hostil à civilização. É assim que Freud lança luz sobre a aparente contradição entre a natureza e a cultura. Embora tenha correlacionado de início a tensão entre o desejo de prazer e a sublimação das pulsões (ou seja, as proibições morais) com o impulso sexual, sua obra tardia gravitou na direção do vínculo entre os impulsos agressivos e autodestrutivos.

Freud também tratou das exigências da civilização e da questão da utilidade da cultura. Ao fazê-lo, assinalou a posição especial da beleza, da limpeza e da ordem entre as exigências da civilização. Freud via a beleza – categorizada por ele como desnecessária – como uma confirmação de que a civilização não deve ser avaliada somente do ponto de vista da utilidade: entre os interesses da civilização, a beleza ocupa posição fundamental. Freud se apressou em salientar que todos os tipos de imundície e sujeita devem afigurar-se incompatíveis com a civilização. O benefício da ordem, segundo ele, está em garantir para o ser humano o melhor uso possível do espaço e do tempo, conservando-lhe ao mesmo tempo as energias psíquicas.

"Nossa civilização se ergue, falando de modo geral, sobre a supressão dos instintos." 1

"Logo percebemos que o que sabemos ser inútil, mas que temos a expectativa de que a civilização valorize, é a beleza." 2

"O homem civilizado trocou uma porção de sua possibilidade de felicidade por uma certa medida de segurança." 3

"Todos os tipos de imundície parecem-nos incompatíveis com a civilização." 4

"A escrita é, na origem, a língua dos ausentes, a casa é um substituto do útero – nossa primeira morada, da qual provavelmente ainda sentimos falta, onde estávamos seguros e nos sentíamos tão confortáveis." 5

"O fato de a civilização não se ocupar somente da utilidade é demonstrado pelo exemplo da beleza, que insistimos em incluir entre os interesses da civilização." 6

"A beleza, a limpeza e a ordem ocupam lugar especial entre as exigências da civilização." 7

"Admitimos que a cultura superior e a educação têm uma grande influência sobre o desenvolvimento da repressão [...]" 8

9 "Quando o homem primitivo descobriu que tinha nas mãos – literalmente – a possibilidade de melhorar seu destino terreno pelo trabalho, deixou de ser-lhe indiferente que os outros trabalhassem com ele ou contra ele. Essa outra pessoa adquiriu então, para ele, o valor de um colaborador, e passou a ser-lhe útil que ambos vivessem juntos."

10 "Os seres humanos são simplesmente 'buscadores incansáveis do prazer'."

11 "Os benefícios da ordem são inegáveis; ela habilita as pessoas a fazer o melhor uso possível do espaço e do tempo e poupa-lhes, simultaneamente, a energia mental."

12 "A vida comunitária se torna possível somente quando se reúne uma maioria mais forte que qualquer indivíduo e que se apresenta como uma frente unida contra todo indivíduo. O poder da comunidade então se defronta, em nome do 'direito', contra o poder do indivíduo, condenado como 'força bruta'. A substituição do poder do indivíduo pelo da comunidade é o passo decisivo rumo à civilização."

13 "A liberdade individual não é um dom da civilização. Era maior antes de haver qualquer civilização, embora fosse mesmo então – admita-se – praticamente inútil, visto que o indivíduo não tinha grandes condições de defendê-la."

"Quase parece que a criação de uma grande comunidade humana seria mais bem-sucedida caso não se tivesse de prestar atenção à felicidade do indivíduo." 14

"Todos os que desejam ser mais nobres do que sua constituição permite caem vítimas da neurose; seriam mais saudáveis se lhes fosse possível ser menos bons." 15

"A sublimação das pulsões é uma característica particularmente marcante do desenvolvimento cultural, tornando possível que as atividades mentais superiores – científicas, artísticas e ideológicas – desempenhem um papel tão significativo na vida civilizada." 16

"Por diversas razões, não tenho o menor desejo de formular um juízo sobre a civilização humana. Tomei o cuidado de abster-me daquele preconceito entusiasmado que vê nossa civilização como a coisa mais preciosa que possuímos ou podemos adquirir e acredita que, em seu caminhar, ela necessariamente nos conduzirá a cumes de perfeição com os quais até agora sequer sonhamos." 17

"Pois há um caminho que conduz da fantasia de volta à realidade – o caminho da arte." 18

"As satisfações substitutas, tais como as que a arte oferece, são ilusões que contrastam com a realidade, mas, graças ao papel que a imaginação assumiu na vida mental, nem por isso são menos eficazes do ponto de vista psíquico." 19

20 "A literatura moderna trata predominantemente dos problemas mais questionáveis, que despertam todas as paixões e estimulam a sensualidade, o desejo irrefreável de prazer e o desprezo por todos os princípios éticos fundamentais e todos os ideais. Apresenta à mente do leitor figuras patológicas e problemas ligados à sexualidade psicopática, à revolução e a outros temas."

21 "As artes plásticas [...] voltam-se de preferência para o abjeto, o feio e o sugestivo, e não hesitam em apresentar ante nossos olhos, com repugnante fidelidade, os espetáculos mais horríveis que a realidade tem a oferecer."

22 (*Sobre Salvador Dalí*)
"Pois até então eu tendera a ver os surrealistas, que aparentemente me escolheram como santo padroeiro, como farsantes absolutos (ou, digamos, 95 por cento, como o álcool). O jovem espanhol, entretanto, com seus olhos fanáticos e sinceros e sua inegável maestria técnica, levou-me a reconsiderar minha opinião."

23 "É difícil conceber um artista que se abstenha do sexo; mas um jovem estudioso abstinente certamente não é raridade. Este último, pelo autodomínio, libera forças para seus estudos, ao passo que o primeiro provavelmente encontra em sua experiência sexual um poderoso estímulo para suas realizações artísticas."

"Pois creio que sabes que, na vida real, tenho uma intolerância 24 terrível para com os excêntricos e não vejo senão o lado negativo destes; no que se refere a esses 'artistas', sou certamente um daqueles a quem vituperas, no início, como filisteus e ignorantes."

"As mulheres representam os interesses da família e da vida se- 25 xual, ao passo que a obra da civilização tornou-se cada vez mais assunto dos homens, criando para eles tarefas cada vez mais difíceis e obrigando-os a sublimar seus impulsos — tarefas para as quais as mulheres têm pouca aptidão."

"[...] O número de indivíduos que simulam a civilização de ma- 26 neira hipócrita é desproporcionalmente maior que o das pessoas verdadeiramente civilizadas. Com efeito, pode-se discutir a tese de que certo grau de fingimento hipócrita é indispensável para a preservação da civilização, pois a susceptibilidade civilizacional das pessoas atualmente vivas pode não estar à altura dessa tarefa."

"A felicidade é a satisfação tardia de um desejo pré-histórico. É 27 por isso que a riqueza traz tão pouca felicidade. O dinheiro não era um desejo de infância."

"Não é a doença que é incurável; é a posição social do homem e 28 suas obrigações que se tornaram uma incurável doença."

"Um funcionário público é uma criatura infeliz; ele inveja seus 29 iguais, tiraniza os subordinados e teme os superiores; quanto mais ele mesmo sabe, mais medo tem."

30 "Boa parte da obra da minha vida (sou dez anos mais velho que você) foi dedicada à destruição de ilusões minhas e da humanidade. Se, no entanto, esta única esperança não puder se realizar sequer em parte, se no decurso de nossa evolução não aprendermos a direcionar nossos instintos para longe da destruição dos nossos semelhantes, se continuarmos odiando uns aos outros por pequenas diferenças e matando-nos uns aos outros por lucro vil, se continuarmos explorando para nossa mútua destruição o imenso progresso no controle dos recursos naturais, que tipo de futuro nos aguarda?"

31 "Os comunistas pensam que encontraram um jeito de redimir a humanidade do mal. O homem é inequivocamente bom e bem-disposto em relação a seu próximo, mas sua natureza foi corrompida pela instituição da propriedade privada. [...] Quando a propriedade privada for abolida, quando os bens forem possuídos em comum e desfrutados por todos, cessará o rancor e a inimizade entre os homens. Visto que todas as necessidades serão satisfeitas, ninguém terá motivo algum para ver outra pessoa como inimiga; todos farão, de boa vontade, qualquer trabalho que seja necessário. [...] Não tenho como saber se a abolição da propriedade privada é útil e benéfica, mas sou capaz de reconhecer que a presunção psicológica que a ela subjaz é uma ilusão sem fundamento."

32 "No que se refere a elogios, somos capazes de recebê-los em quantidade ilimitada, como todos sabem."

"Em regra, quando sou atacado, sei me defender; quando sou elogiado, porém, sou impotente." 33

"Impressão geral: o mundo adquiriu certo respeito por minha obra. A análise, porém, até agora foi aceita somente pelos analistas." 34

"No fundo do meu coração, não consigo abandonar a convicção de que meus queridos semelhantes, com poucas exceções, não valem nada." 35

"Não há mistura, por absurda que seja, que a sociedade não engula de boa vontade se for apresentada como antídoto à temida predominância da sexualidade." 36

"A histeria nasce da própria constituição psíquica e é uma expressão do mesmo poder orgânico básico que produz o gênio de um artista. É também, contudo, um sintoma de um conflito especialmente forte e não resolvido, que grassa entre essas tendências básicas e, mais tarde, divide a vida psíquica em dois lados opostos." 37

"As palavras eram, originalmente, uma forma de magia, e até hoje conservam boa parte de seu antigo poder mágico. Por meio de palavras, uma pessoa pode tornar outra extremamente feliz ou levá-la ao desespero; por palavras o professor transmite seu conhecimento aos alunos, por palavras o orador conduz seu público e determina seus juízos e decisões. As palavras provocam afetos 38 e são, de maneira geral, o meio pelo qual os homens se influenciam mutuamente. Assim, não depreciaremos o uso das palavras na psicoterapia e ficaremos contentes se pudermos ouvir as palavras que transitam entre o analista e seu paciente."

39 "Simplesmente não sou capaz de expor ao leitor ainda mais da minha nudez [...]"

## Fontes

1 *Sexual Morality*, 1961, p. 186.
2 *Civilization*, 2004, p. 37.
3 *Civilization*, 2004, p. 65.
4 *Civilization*, 2004, p. 38.
5 *Civilization*, 2004, p. 36.
6 *Civilization*, 2004, p. 39.
7 *Civilization*, 2004, p. 39.
8 *The Joke*, 2002, p. 98.
9 *Civilization*, 2004, p. 45.
10 *The Joke*, 2002, p. 123.
11 *The Joke*, 2002, p. 38.
12 *Civilization*, 2004, p. 41.
13 *Civilization*, 2004, p. 42.
14 *Civilization*, 2004, p. 99.
15 *Sexual Morality*, 1961, p. 191.
16 *Civilization*, 2004, p. 44.
17 *Civilization*, 2004, p. 105.
18 *Introductory Lectures*, 1961, p. 375 s.
19 *Civilization*, 2004, p. 15.
20 *Sexual Morality*, 1961, p. 183 s.

21 *Sexual Morality*, 1961, p. 184.
22 *Letters*, 1961, p. 449, 20 de julho de 1938, a Stefan Zweig.
23 *Sexual Morality*, 1961, p. 197.
24 *Letters*, 1961, p. 331, 21 de junho de 1920, a Oskar Pfister.
25 *Civilization*, 2004, p. 51.
26 *War and Death*, 2005, p. 179.
27 *Freud/Fliess*, 1985, p. 294, 16 de janeiro de 1898.
28 *Letters*, 1961, p. 156, 25 de junho de 1885, a Martha Bernays.
29 *Letters*, 1961, p. 219, 1º de setembro de 1886, a Josef Breuer.
30 *Letters*, 1961, p. 341 s., 4 de março de 1923, a Romain Rolland.
31 *Civilization*, 2004, p. 62 s.
32 *Letters*, 1961, p. 431, 8 de outubro de 1936, a Ludwig Binswanger.
33 *Letters*, 1961, p. 368, 10 de maio de 1926, a Marie Bonaparte.
34 *Letters*, 1961, p. 369, 10 de maio de 1926, a Marie Bonaparte.
35 *Letters*, 1961, p. 390, 28 de julho de 1929, a Lou Andreas-Salomé.
36 *Lay Analysis*, 1961, p. 187 s.
37 *Letters*, 1961, p. 332, 19 de outubro de 1920, a Stefan Zweig.
38 *Introductory Lectures*, 1961, p. 16.
39 *Freud/Jung*, 1991, p. 216, 17 de fevereiro de 1911.

# IV
## CONFLITO E
## RIVALIDADE

*"* Enquanto as condições de vida nas diversas nações forem tão diferentes e os conflitos entre elas, tão violentos, as guerras serão inevitáveis. *"*

Sigmund Freud tratou do tema do conflito em numerosos escritos. O mais famoso deles é a correspondência com Albert Einstein publicada sob o título de *Por que a guerra?* Reagindo a uma ideia proposta pela Liga das Nações, Einstein escreveu a Freud uma carta na qual procurava responder, de seu ponto de vista, a questão das causas dos conflitos militares e pedia que Freud lhe comunicasse suas próprias opiniões. A correspondência que se seguiu foi publicada em forma de livro em 1933. Diante da ascensão do Nacional-Socialismo e das privações da Primeira Guerra Mundial, Freud delineia em sua carta a Einstein uma visão de mundo pessimista. Fala das dificuldades intrínsecas de se cumprir o postulado do altruísmo e também discute a força bruta, sem a qual não pode haver Estado de direito. Essa perspectiva torna a se manifestar em muitas publicações, cartas e palestras. As suposições de Freud pareceram confirmar-se com a crescente virulência do antissemitismo – ele já sofrera discriminação na juventude e se lembrava bem dos relatos do pai acerca dos insultos a que fora submetido.

Os estudantes judeus eram maltratados na universidade. Carl Koller, colega de Freud que depois tornou-se um famoso oftalmologista, chegou a travar um duelo contra outro estudante que insultara a ele e a seus antepassados judeus. Freud não se limitou a compreender a reação do colega: aprovava ativamente a luta armada como resposta ao antissemitismo. O judaísmo de Freud era obstáculo a uma carreira na universidade, como não hesitou em lhe dizer o Professor Ernst Brücke, um de seus primeiros mentores. Em anos posteriores, Freud não deixou de dar voz a sua irritação perante esse fato. Para ele, a rejeição dirigida contra ele e seus métodos também tinha um fundo antissemita.

A hostilidade aos judeus chegou ao auge na brutalidade do Nacional-Socialismo. Em 1933, os escritos de Freud foram queimados na Alemanha a gritos de "Contra a glorificação da vida instintiva, que destrói a alma! Pela nobreza do espírito humano!". Depois da *Anschluss* (a anexação da Áustria pela Alemanha nazista), a Sociedade Psicanalítica de Viena se desfez e quase todos os seus membros exilaram-se. As quatro irmãs de Freud, que na época moravam em Viena, foram depois assassinadas em campos de concentração. Foi somente graças à sua fama e às amizades internacionais de sua amiga Marie Bonaparte que Freud conseguiu fugir.

Nas amizades pessoais e profissionais, Freud sabia ser combativo e conservou sua energia até uma idade avançada. Capaz tanto de rivalidades apaixonadas quanto de amizades intensas, buscava com inflexível determinação os objetivos que postulara para o movimento psicanalítico. Sua correspondência com C. G. Jung, da qual foram extraídas várias das citações a seguir, dá testemunho da dureza de Freud e de sua natureza calculista. Freud renegou Jung – de quem fora próximo durante anos, mantendo com ele uma amizade paternal e formando-o para ser o "príncipe herdeiro" do movimento psicanalítico – quando este começou a desenvolver sua própria abordagem psicológica. Alfred Adler, outra figura-chave dos primórdios da psicanálise, teve destino parecido com o de Jung quando se afastou do movimento para seguir as próprias ideias: Freud denegriu seus escritos, chamando-os "patéticos e vazios". Quando se indignava com alguém, Freud era, às vezes, venenoso, como demonstra a breve citação acerca do psiquiatra e sexólogo alemão Albert Moll: "Ele deixara a sala fedendo como se fosse o próprio diabo, e, em parte por falta de convicção, e em parte porque era meu hóspede, não o desanquei o suficiente".

As relações de Freud com seu mentor Josef Breuer foram, de início, marcadas por uma profunda afeição. Enquanto Freud ainda estudava, Breuer várias vezes emprestou-lhe dinheiro sem jamais exigir o pagamento. Quando Freud começou a clinicar, Breuer encaminhou-lhe muitos de seus pacientes. Juntos eles escreveram, em 1895, o livro *Estudos sobre a histeria*, que se tornou uma obra seminal no desenvolvimento da psicanálise. Freud exprimiu sua gratidão dando a sua filha mais velha o nome da esposa de Breuer, Mathilde. Citações selecionadas mostram como o relacionamento de Freud com Breuer foi esfriando ao longo dos anos e terminou em rejeição. Depois da morte de Breuer, em 1925, Freud referia-se a seu antigo mentor com cortesia e distanciamento. Tanto sua admiração quanto sua posterior antipatia por Breuer haviam-se esmaecido.

A psicanálise busca descobrir as causas da guerra, explorando ideias para contrapor-se aos conflitos armados ou mesmo preveni-los. Sigmund Freud define a supressão da agressão nesta frase: "Tudo o que promove o desenvolvimento da civilização também trabalha contra a guerra". É preciso observar, entretanto, que o mesmo domínio dos instintos incluso no conceito de "civilização" também pode produzir distúrbios psíquicos, como se delineia em *O mal-estar na civilização*. Diante desse pano de fundo e com uma consciência de sua história pessoal, a visão pessimista que Freud tinha da natureza humana e sua atitude combativa são bastante compreensíveis. Em grande medida, seu ponto de vista deriva de sua falta de esperança num comportamento moral e pacífico por parte do ser humano.

1   "Enquanto as condições de vida nas diversas nações forem tão diferentes e os conflitos entre elas, tão violentos, as guerras serão inevitáveis."

2   "Os homens são fortes enquanto representam uma ideia forte; se tornam impotentes quando se opõem a ela."

3   "[...] O amor não pode ser muito mais jovem que o anseio de matança."

4   "*Homo homini lupus est*. Quem, depois de tudo o que aprendeu com a vida e com a história, terá coragem de negar essa proposição?"

5   "Nos primórdios, numa pequena horda de pessoas, a força muscular decidia a quem pertenciam as coisas ou de quem era a vontade a ser imposta; o vitorioso é quem tem a melhores armas ou o que as usa com mais habilidade. Com a introdução das armas, a superioridade intelectual já começa a assumir o papel da força muscular bruta."

6   "Tornando o nosso inimigo pequeno, vil, desprezível, cômico, tomamos um caminho indireto rumo ao gozo de vencê-lo, o qual a terceira pessoa – que não fez esforço algum – endossa com seu riso."

7   "Ainda dotados, na infância, de poderosa disposição à inimizade, aprendemos mais tarde, no decorrer da nossa cultura pessoal mais altamente desenvolvida, que é indigno xingar as pessoas; e,

mesmo nos casos em que de fato se permite uma briga, o número de golpes que não podem ser empregados como meio de vencê-la aumentou de modo marcante."

"Com a abolição da propriedade privada, o amor humano pela agressão perde um de seus instrumentos – um instrumento forte, sem dúvida, mas não o mais forte, certamente." 8

"Mesmo hoje, o que nossos filhos aprendem na escola como história universal é essencialmente uma sequência de genocídios. O obscuro sentimento de culpa que paira sobre a humanidade desde tempos remotos e que em algumas religiões condensou-se na hipótese de um pecado original é provavelmente a manifestação de uma culpa pelo derramamento de sangue que o homem primitivo tomou sobre si como um fardo." 9

"O Estado beligerante permite-se qualquer injustiça, qualquer violência que desonre o indivíduo. Não se restringe às tramoias aceitas, mas também perpetra mentiras calculadas e traição deliberada contra o inimigo, num grau que parece exceder o costumeiro em guerras anteriores." 10

"Lembramo-nos do antigo provérbio: *Si vis pacem, para bellum*. Se quiseres preservar a paz, prepara-te para a guerra. Talvez seja época de alterá-lo da seguinte maneira: *Si vis vitam, para mortem*. Se quiseres suportar a vida, prepara-te para a morte." 11

12 "Tudo que promove o desenvolvimento da civilização também trabalha contra a guerra."

13 "Nosso tantinho de guerra civil não foi nem um pouco prazeroso. Não era possível sair sem o passaporte, ficamos sem luz por um dia e a ideia de que o fornecimento de água poderia se esgotar era bastante desagradável. Agora está tudo calmo – a calma da tensão, poder-se-ia dizer; como esperar num quarto de hotel até que o segundo sapato seja atirado contra a parede."

14 "Em caso de guerra, a Áustria seria o próximo campo de batalha e todos estaremos perdidos. Não me consola saber que talvez eu não viva para vê-lo, enquanto todos vocês permanecerão aqui."

15 "Faz parte da inata e insuprimível desigualdade dos homens o fato de dividirem-se em líderes e seguidores. Estes últimos são a imensa maioria; precisam de uma autoridade que tome as decisões para eles e geralmente se submetem a essa autoridade sem questioná-la."

16 "Não podemos continuar assim; algo terá de acontecer. Quer venham os nazistas, quer o nosso próprio fascismo autóctone esteja pronto a tempo, quer Otto von Habsburg entre em cena, como as pessoas agora pensam."

17 "Pois aonde irei em meu estado de dependência e impotência física? E o estrangeiro é todo inóspito. Somente se houvesse de fato um sátrapa de Hitler governando Viena eu teria de ir

embora, para onde quer que fosse. Quanto a minha atitude perante os partidos que ora brigam entre si, só posso descrevê-la plagiando o Mercúcio de Shakespeare – 'Uma praga sobre ambas as vossas casas'."

"O futuro é incerto; ou o fascismo austríaco ou a suástica. Neste 18
último caso, teremos de ir embora; quanto ao fascismo nativo, estamos preparados a conviver com ele até certo ponto; dificilmente nos tratará tão mal quanto seu primo alemão."

"Nós também, é claro, estamos gratos por este interlúdio de paz, 19
mas não conseguimos encontrar nele nenhum prazer."

"Hoje, vemos o direito e a violência como coisas opostas. É fácil 20
demonstrar que uma se desenvolveu a partir da outra, e, se voltarmos aos primórdios e verificarmos como isso ocorreu, a solução do problema se nos apresenta sem qualquer dificuldade. [...] Os conflitos de interesses entre os seres humanos são, em princípio, resolvidos pelo uso da violência. É assim que as coisas funcionam em todo o reino animal, do qual o homem não deve excluir-se."

"O indivíduo poucas vezes é intrinsecamente bom ou mau; em 21
geral, é 'bom' numa área e 'mau' em outras. O interessante é que a descoberta da preexistência de fortes impulsos 'maus' na infância pode ser vista, muitas vezes, como a precondição prática para uma distinta inclinação para o 'bem' na idade adulta. Os mais egoístas na infância às vezes se tornam os cidadãos mais solícitos

e capazes de autossacrifício; a maioria dos sentimentalistas, humanitários e protetores dos animais desenvolveu-se a partir de jovens sádicos e torturadores de animais."

22 "Quando me pergunto por que sempre aspirei a me comportar com honra, a poupar os outros e a ser bondoso sempre que possível, e por que não parei de fazê-lo quando percebi que, agindo desse modo, prejudicamos a nós mesmos e nos tornamos sacos de pancada pelo fato de as outras pessoas serem brutais e indignas de confiança, de fato não tenho resposta."

23 "Certas pessoas são boas porque nada de mal lhes entra na cabeça, outras são boas porque conseguem – sempre ou com frequência – vencer seus maus pensamentos."

24 "Não consigo ser otimista, e creio que difiro dos pessimistas somente na medida em que as coisas malignas, estúpidas e sem sentido não me aborrecem, pois aceitei-as desde o começo como parte da constituição do mundo."

25 "A explicação racional do heroísmo se baseia na conclusão de que a própria vida não pode ser tão preciosa quanto certos bens abstratos e universais."

26 "O 'terror' pressupõe um objeto específico que nos amedronta. O 'medo', contudo, dá ênfase ao elemento surpresa; descreve estado que nos possui quando nos encontramos mergulhados no perigo sem para ele estarmos preparados."

"Já percebi, na resistência do não analista, aquilo que agora se re-  27
pete na resistência do meio-analista."

"Já me resignei a viver como alguém que fala uma língua estran-  28
geira ou como o papagaio de Humboldt. Sendo o último da tribo
– ou o primeiro, e talvez o único –, essas situações são bastante
semelhantes."

"Desabafar faz bem para a constituição."  29

"Enquanto eu me comportar com perfeita correção, meus dig-  30
nos adversários permanecerão inseguros. Somente quando eu
fizer exatamente o que estão fazendo terão certeza de que não
estou fazendo nada melhor que eles."

"Há muito reconheci que suscitar contradição e despertar amar-  31
gura é o destino inevitável da psicanálise. Cheguei à conclusão
de que devo ser o verdadeiro originador de tudo o que nela há de
particularmente característico."

"A experiência mostra que pouquíssimas pessoas são capazes de  32
permanecer educadas – para não dizer objetivas – numa disputa
científica. A impressão que as querelas científicas deixam em
mim sempre foi odiosa."

"Estou, é claro, perfeitamente disposto a admitir que todos têm o  33
direito de pensar e escrever o que bem entendem; mas não têm o
direito de apresentá-lo como algo diferente do que realmente é."

34 "Pode-se afirmar por último que, mediante sua 'modificação' da psicanálise, Jung nos deu um homólogo da famosa faca de Lichtenberg. Ele mudou o cabo e pôs nela uma nova lâmina; no entanto, por trazer o mesmo nome gravado, espera-se que pensemos tratar-se do instrumento original."

35 "Tudo o que Adler diz a respeito dos sonhos, a marca distintiva da psicanálise, é igualmente vazio e sem significado."

36 "A falta de boa disposição do autor de uma resenha logo se transforma em ódio."

37 "Os pacientes são repulsivos e estão me fornecendo a oportunidade de fazer novos estudos sobre a técnica. Eitingon está aqui, sai para caminhar comigo duas vezes por semana após o jantar e, ao mesmo tempo, está sendo analisado."

38 (*Sobre Albert Moll*)
"Ele deixara a sala fedendo como se fosse o próprio diabo, e, em parte por falta de convicção, e em parte porque era meu hóspede, não o desanquei o suficiente."

39 "No caso Fleischl, Breuer comportou-se esplendidamente mais uma vez. Falar somente coisas boas a seu respeito não basta para compor uma imagem adequada do seu caráter; é preciso chamar a atenção para a ausência de tantas coisas más."

"Há pouco tempo, Breuer aprontou mais um de seus brilhantes golpes de autopromoção. Penso que ninguém deve deixar que a inteligência dele o engane sobre a sua tacanhice."

(*Sobre Breuer*)
"Apesar de todos os seus talentos intelectuais, não havia em sua natureza nada de faustiano."

(*Sobre Karl Krauss*)
"Se também tiveres interesse sobre outros assuntos, o artigo em *Die Fackel* provavelmente será apenas o precursor de outros ataques mais vigorosos; é assim que ele sempre age. É uma pessoa maliciosa, completamente indigna de confiança."

"O ser humano deve ser capaz de conter-se e compor-se para formar um juízo […]"

"Realmente precisamos tentar não ser tão maus quanto as pessoas pensam que somos, mas, ao mesmo tempo, precisamos aprender a ter cuidado."

"Sempre me consola o fato de eu nunca ter sido considerado desagradável pelas pessoas subordinadas a mim ou minhas iguais, mas somente por superiores ou por pessoas que, em razão de algum outro motivo, estavam acima de mim."

"A inveja muitas vezes contamina a apreciação de jardins e casas de campo."

# Fontes

1. *War and Death*, 2005, p. 193.
2. *History of the Movement*, 1961, p. 66.
3. *War and Death*, 2005, p. 187.
4. *Civilization*, 2004, p. 61.
5. *Why War?*, 2005, p. 222.
6. *The Joke*, 2002, p. 100.
7. *The Joke*, 2002, p. 100.
8. *Civilization*, 2004, p. 63.
9. *War and Death*, 2005, p. 186.
10. *War and Death*, 2005, p. 173.
11. *War and Death*, 2005, p. 194.
12. *Why War?*, 2005, p. 232.
13. *Freud/Zweig*, 1970, p. 65, 25 de fevereiro de 1934.
14. *Briefe an die Kinder*, 2010, p. 432, 6 de junho de 1934, a Ernst Freud.
15. *Why War?*, 2005, p. 230.
16. *Freud/Zweig*, 1970, p. 65, 25 de fevereiro de 1934.
17. *Freud/Zweig*, 1970, p. 65, 25 de fevereiro de 1934.
18. *Letters*, 1961, p. 420, 20 de fevereiro de 1934, a Ernst Freud.
19. *Letters*, 1961, p. 452, 4 de outubro de 1938, a Marie Bonaparte.
20. *Why War?*, 2005, p. 222.
21. *War and Death*, 2005, p. 176.
22. *Letters*, 1961, p. 308, 8 de julho de 1915, a James J. Putnam.
23. *Letters*, 1961, p. 198, 27 de janeiro de 1886, a Martha Bernays.
24. *Letters*, 1961, p. 312, 30 de julho de 1915, a Lou Andreas-Salomé.
25. *War and Death*, 2005, p. 190.
26. *Pleasure Principle*, 2003, p. 51.
27. *Letters*, 1961, p. 299, 1º de janeiro de 1913, a James J. Putnam.
28. *Freud/Fliess*, 1985, p. 430, 25 de novembro de 1900.
29. *Freud/Fliess*, 1985, p. 368, 27 de agosto de 1899.

30 *Freud/Fliess*, 1985, p. 408, 4 de abril de 1900.
31 *History of the Movement*, 1961, p. 8.
32 *History of the Movement*, 1961, p. 39.
33 *History of the Movement*, 1961, p. 60 s.
34 *History of the Movement*, 1961, p. 66.
35 *History of the Movement*, 1961, p. 57.
36 *Freud/Fliess*, 1985, p. 408, 4 de abril de 1900.
37 *Freud/Ferenczi*, 1993, p. 85, 22 de outubro de 1909.
38 *Freud/Jung*, p. 148, 16 de maio de 1909.
39 *Letters*, 1961, p. 149, 6 de junho de 1885, a Martha Bernays.
40 *Freud/Fliess*, 1985, p. 294, 16 de janeiro de 1898.
41 *Letters*, 1961, p. 413, 2 de junho de 1932, a Arnold Zweig.
42 *Briefe an die Kinder*, 2010, p. 64, 12 de junho de 1908, a Mathilde Freud.
43 *Letters*, 1961, p. 160, 5 de julho de 1885, a Martha Bernays.
44 *Letters*, 1961, p. 201, 2 de fevereiro de 1886, a Martha Bernays.
45 *Letters*, 1961, p. 202, 2 de fevereiro de 1886, a Martha Bernays.
46 *Letters*, 1961, p. 249, 17 de setembro de 1905, a Alexander Freud.

# V
## SONHO E ILUSÃO

*" Os sonhos nunca tratam de trivialidades; não deixamos que nosso sono seja perturbado por coisas banais. "*

Depois de completar seus estudos, Sigmund Freud estabeleceu-se como neuropatologista num consultório particular. Com a publicação de *Estudos sobre a histeria*, em 1895 (escrito em coautoria com Josef Breuer), Freud passou a ser discutido nos círculos da medicina. Em 1899 completou *A interpretação dos sonhos*, que, do ponto de vista histórico e literário, representa em definitivo o ponto de partida da psicanálise.

Freud entende o sonho como veículo para a compreensão dos processos psíquicos: não é de maneira alguma um vislumbre do futuro, mas sim um resultado do passado. Observou que sua abordagem não era nova, citando pensadores da antiguidade, como Platão, que via o sonho como fonte de autoconhecimento e atribuía efeito terapêutico a suas mensagens.

Além de ser a primeira declaração por escrito da teoria psicanalítica dos sonhos, *A interpretação dos sonhos* ganhou fama pela inflexível disposição de Freud de revelar detalhes sobre seu eu mais profundo – até hoje esse aspecto fascina seus leitores. Freud analisa muitos sonhos que ele mesmo teve, revelando seus medos, suas memórias de infância e os fardos de sua vida cotidiana. Apesar de ter censurado diversos sonhos e as análises dos mesmos, a fim de proteger sua vida privada, Freud pôs a nu muitas questões e perspectivas profundamente pessoais. Seguindo a tradição dos médicos que faziam experimentos consigo mesmos, ele apresenta a si próprio, a seus sonhos e às interpretações destes como objetos de estudo.

Ernest Jones e Peter Gay, biógrafos de Freud, entendem que a importância dessa obra para o próprio Freud reside na abrangente autoanálise que, nela, ele empreende. Especulam que, ao omitir certos detalhes de seus sonhos, Freud não estava apenas protegendo a si mesmo; de acordo com os biógrafos, ele ocultou vários elementos de maneira inconsciente. Peter Gay escreve: "*A interpretação dos sonhos*, de Freud, trata não somente de sonhos, mas de algo mais. É uma autobiografia ao mesmo tempo sincera e calculada, tão perturbadora no que revela quanto no que omite". O livro também teve grande importância metodológica no desenvolvimento da psicanálise: contém instruções precisas para a análise dos sonhos e é, assim, o primeiro texto a estipular os detalhes da técnica psicanalítica. Nesse sentido, é um marco histórico.

O livro foi aumentado a cada edição, à medida que Freud e seus colaboradores o atualizavam e reelaboravam, acrescentando comentários e novas seções. Nas edições posteriores, incluíram-se também estudos de caso fornecidos por outros analistas e, assim, o livro continuou sempre atualizado com o desenvolvimento contínuo da teoria psicanalítica, ao passo que a amplitude e a densidade do material apresentado como exemplo também cresceram. Isso dá testemunho da importância nodal da obra, confirmada pela caracterização que Freud faz da interpretação dos sonhos, perto do fim do livro, como "estrada real rumo a um conhecimento das atividades inconscientes da mente". Em seu livro sobre os sonhos e a interpretação destes, Wolfgang Mertens escreve: "Freud foi o primeiro a provar, por meio da análise contínua de seus próprios sonhos, que as imagens oníricas, aparentemente enigmáticas e sem sentido, trazem à luz um material psíquico reprimido que pode ser integrado com sensatez à esfera do pensamento significativo".

O postulado fundamental da interpretação dos sonhos freudiana é o da realização de desejos: os desejos e interesses inconscientes do sonhador são realizados no sonho. Isso pode ocorrer de maneira direta e não dissimulada ou mediante uma transformação distorcida, que exige interpretação. Freud procurou resolver essa distorção distinguindo entre o conteúdo manifesto e o conteúdo latente do sonho. O conteúdo manifesto compreende os acontecimentos do sonho tal como são lembrados. O conteúdo latente se oculta por trás do conteúdo manifesto e deve ser decodificado. É pela "elaboração onírica" que o conteúdo latente do sonho sofre uma "censura" para poder se tornar manifesto. Essa censura envolve vários processos, tais como a condensação (múltiplos significados se reúnem numa única pessoa ou objeto) e o deslocamento (o significado de uma pessoa, objeto ou ação é atribuído a outra pessoa, objeto ou ação). Deve-se também levar em conta as "considerações de representabilidade": os sonhos representam pensamentos e ideias abstratas na forma de imagens concretas. Uma sequência temporal de eventos sugere uma relação de causa e efeito; visto que uma negação não pode ser expressa visualmente num sonho, ela se expressa mediante a representação de pessoas e acontecimentos por meio de seus opostos. Assim, as imagens do sonho não são simplesmente o que parecem ser: são vestígios de atividade psíquica cuja origem pode ser descoberta pela análise das relações entre as imagens.

É para isso que a psicanálise faz uso da técnica da "associação livre". O psicanalista usa essa técnica para reconhecer os métodos de censura característicos de cada indivíduo e os diversos significados que as representações podem ter para esse indivíduo, e essas informações são particularmente úteis para a decodificação dos sonhos. O elemento de censura mais conhecido é o uso de símbolos, empregados especialmente para codificar o conteúdo sexual. O método de interpretação de Freud causou bastante comoção, e é bem possível que a controvérsia ao seu redor tenha contribuído para o crescente sucesso comercial de que *A interpretação dos sonhos* tem gozado no decorrer dos anos. Hoje em dia, mal podemos imaginar que alguém fique chocado com a ideia de que uma vela, uma cobra ou uma coluna vistas num sonho possam representar um falo, que dentes quebrados possam significar a castração ou que movimentos de esfregar indiquem a masturbação – mas, na virada do século, essas ideias naturalmente depararam-se com considerável resistência.

1   "Os sonhos nunca tratam de trivialidades; não deixamos que nosso sono seja perturbado por coisas banais."

2   "A interpretação dos sonhos é a estrada real rumo a um conhecimento das atividades inconscientes da mente."

3   "A interpretação dos sonhos parece ser mais difícil para os outros do que eu havia dado a entender."

4   "O estudo dos sonhos pode ser visto como a rota de aproximação mais confiável para quem procura compreender os processos profundos da psique."

5   "Encontramos nosso caminho rumo à compreensão ('interpretação') de um sonho pressupondo que aquilo de que nos lembramos depois de acordar não é o verdadeiro processo onírico, mas somente uma fachada por trás da qual esse processo jaz oculto."

6   "Ocorre-me esta fórmula: O que é *visto* no período pré-histórico produz sonhos; o que nele é *ouvido* produz fantasias; o que nele é *experimentado sexualmente* produz neuroses."

7   "Para os gregos e outras nações orientais, é possível que tenha havido épocas em que uma campanha de guerra sem intérpretes de sonhos parecesse tão impossível quanto parece, hoje, uma campanha sem reconhecimento aéreo."

"Penso, entretanto, que o imperador romano tenha errado quando fez executar um de seus súditos por ter sonhado que assassinava o imperador. Devia ter começado por procurar descobrir o que o sonho significava; o mais provável é que seu significado não fosse o que parecia ser." 8

"E o valor dos sonhos para nos dar conhecimento do futuro? É claro que isso não existe. Seria mais verdadeiro dizer que nos dão conhecimento do passado, pois os sonhos são, em todos os sentidos, derivados do passado." 9

"Não só os sonhos, mas também os ataques histéricos são meios de realização de desejos." 10

"Terminado o trabalho de interpretação, percebemos que o sonho é a realização de um desejo." 11

"É de se notar com quanta conveniência tudo se organizou no sonho. Visto que seu único objetivo era o de realizar um desejo, ele pôde ser completamente egoísta." 12

"Eu mesmo não sei com que sonham os animais. Mas um provérbio, para o qual um de meus alunos me chamou a atenção, alega saber. 'Com que', pergunta o provérbio, 'sonham os gansos?' E responde: 'Com milho'. Toda a teoria de que os sonhos são realizações de desejos está contida nessas duas frases." 13

14 "Todos os sonhos são, em certo sentido, sonhos de conveniência. Servem à finalidade de prolongar o sono, em vez de acordar. Os sonhos são guardiões do sono, não algo que o perturba."

15 "Os sonhos, como todos sabem, podem ser confusos, ininteligíveis ou francamente absurdos. O que dizem pode contradizer tudo o que sabemos sobre a realidade, e neles nos comportamos como loucos, visto que, enquanto estamos sonhando, atribuímos realidade objetiva aos conteúdos do sonho."

16 "Não só não é necessário que o sonho atribua qualquer valor à inteligibilidade como ele precisa mesmo evitar que seja compreendido, pois, caso contrário, seria destruído; só pode existir sob um disfarce."

17 "O sonho serve predominantemente para nos poupar do desprazer, o chiste para nos dar prazer; nesses dois objetivos, porém, reúnem-se todas as nossas atividades psíquicas."

18 "A restauração dos vínculos que a elaboração onírica destruiu é uma tarefa a ser desempenhada pelo processo interpretativo."

19 "A transformação dos pensamentos oníricos de modo tal que estes se tornem representáveis, a condensação e o deslocamento são as três principais funções que podemos atribuir à elaboração onírica."

20 "Visto termos aprendido a compreender até sonhos loucos e confusos, sabemos que, toda vez que vamos dormir, deixamos de

lado a moralidade que adquirimos à custa de tanto esforço como se fosse uma peça de roupa e tornamos a vesti-la de manhã. Esse desnudamento, evidentemente, não é perigoso, pois, paralisados pelo estado de sono e condenados à inatividade, não representamos perigo algum. [...] Assim, por exemplo, é digno de nota que todos os nossos sonhos são regidos por motivações puramente egoístas."

"A representação por meio do oposto é tão comum nos sonhos que até os livros populares de interpretação de sonhos, por enganosos que sejam, a citam habitualmente." 21

"Os sonhos são breves, pobres e lacônicos em comparação com o âmbito e a riqueza dos pensamentos oníricos." 22

"Os sonhos são apenas uma forma de pensamento; jamais se chegará a uma compreensão dessa forma tomando-se como referência o conteúdo dos pensamentos; somente uma apreciação da elaboração onírica conduzirá a essa compreensão." 23

"É perfeitamente verdadeiro que os sonhos contêm simbolizações de órgãos e funções corporais, que a água num sonho frequentemente indica um estímulo urinário e que os órgãos genitais masculinos podem ser representados por uma hasta ereta ou um pilar, e assim por diante." 24

"Caixas, estojos, arcas, armários e fornos representam o útero, assim como objetos ocos, navios e vasos e recipientes de todo tipo." 25

26 "Nos sonhos de homens, uma gravata aparece com frequência como símbolo do pênis. Não há dúvida de que isso não se deve somente ao fato de as gravatas serem objetos compridos pendentes usados apenas pelos homens, mas também porque podem ser escolhidas a gosto – liberdade que, no caso do objeto simbolizado, é proibida pela natureza."

27 "Para representar simbolicamente a castração, a elaboração onírica faz uso da calvície, do corte de cabelo, da queda dos dentes e da decapitação. Quando um dos símbolos comuns do pênis figura duplicado ou multiplicado num sonho, isso deve ser visto como um precaver-se contra a castração."

28 "Os sonhos em que se está nu ou insuficientemente vestido na presença de estranhos incorporam às vezes, como característica adicional, uma absoluta ausência de vergonha por parte do sonhador. Só nos interessam aqui, entretanto, os sonhos de nudez em que *com efeito* sentimos vergonha e constrangimento e tentamos fugir ou nos esconder, sendo tomados depois por uma estranha inibição que nos impede de nos movimentar e nos faz sentirmo-nos incapazes de alterar nossa agoniante situação."

29 "As crianças, nos sonhos, frequentemente representam os órgãos genitais; e, com efeito, tanto os homens quanto as mulheres têm o hábito de chamar afetuosamente seus órgãos genitais de 'meus pequeninos'."

"Hoje, como naquela época, muitos homens sonham que estão se 30
relacionando sexualmente com suas mães e falam desse fato com
espanto e indignação."

"Os sonhos, portanto, são amiúde mais profundos quando pare- 31
cem mais loucos. Em todas as épocas da história, os que tinham
algo a dizer mas não podiam dizê-lo sem correr riscos vestiram de
boa vontade o chapéu do bufão."

"A questão de saber se é possível interpretar todo e qualquer so- 32
nho deve ser respondida na negativa. Não se deve esquecer que,
na interpretação de um sonho, temos de enfrentar a oposição das
forças psíquicas responsáveis por sua distorção."

"O sonho é, portanto, uma psicose, com todos os absurdos, delírios 33
e ilusões da psicose. Uma psicose de curta duração, sem dúvida, e
inofensiva, dotada até de uma função útil, introduzida com o con-
sentimento do sujeito e terminada por um ato da sua vontade."

"Toda aquela argumentação – pois o sonho não foi outra coisa – 34
nos lembrou vivamente da defesa apresentada pelo homem acu-
sado por um vizinho de ter-lhe devolvido danificada uma chaleira
que tomara emprestada. Alegou, em primeiro lugar, que a devol-
vera intacta; em segundo lugar, que a chaleira já tinha um buraco
quando a tomara emprestada; e, em terceiro lugar, que sequer
emprestara do vizinho chaleira alguma."

35 "A interpretação errônea não é uma ilusão, mas, como se poderia dizer, uma evasão."

36 "A vida que nos é imposta é difícil demais de suportar: traz em si dor demais, decepções demais, demasiados problemas insolúveis. Para suportá-la, precisamos lançar mão de medidas paliativas. Há três classes de medidas desse tipo: distrações poderosas, que nos levam a considerar desimportante a nossa miséria; satisfações substitutas, que a diminuem; e os narcóticos, que nos anestesiam para ela."

37 "O efeito dos narcóticos na luta pela felicidade e pelo afastamento da infelicidade é visto como uma dádiva tão grandiosa que não somente indivíduos, mas nações inteiras atribuíram-lhes um lugar firme na economia da libido. Devemos-lhes não somente uma fruição direta de prazer, mas também um grau fervorosamente desejado de independência em relação ao mundo externo. Sabemos, afinal de contas, que 'afogando as mágoas' podemos escapar a qualquer tempo da pressão da realidade e encontrar refúgio num mundo nosso que oferece condições melhores para nossa sensibilidade."

38 "Perpetuar a vida é, afinal de contas, o primeiro dever dos seres vivos. A ilusão perde seu valor se nos impede de fazer isso."

39 "Não preciso dizer muito sobre a interpretação dos sonhos. Ela surgiu como primícias da inovação técnica que eu adotara quando, seguindo um vago pressentimento, decidi substituir a hipnose pela associação livre."

"A interpretação dos sonhos se tornou um consolo e um suporte 40 para mim naqueles primeiros difíceis anos de análise, quando tive de dominar a técnica, os fenômenos clínicos e a terapia das neuroses, tudo ao mesmo tempo. Naquele período eu estava completamente isolado e, naquela teia de problemas e acúmulo de dificuldades, muitas vezes tinha medo de perder não só o rumo, como também a confiança."

"Em algum lugar dentro de mim há um sentimento da forma, 41 uma apreciação da beleza como uma espécie de perfeição; e as frases tortuosas do meu livro sobre os sonhos, com seu desfile de expressões indiretas e apresentações oblíquas de ideias, ofendem profundamente um dos meus ideais."

"Quer as pessoas gostem do livro sobre os sonhos, quer não, ele 42 está começando a me deixar frio e estou começando a me lamentar pelo seu destino. Está claro que essa única gota d'água não furou a pedra em absoluto."

"O 'silêncio da floresta' é o clamor de uma metrópole em comparação com o silêncio do meu consultório. Este é um bom lugar para 'sonhar'." 43

"Acaso supões que, algum dia, ler-se-á nesta casa numa placa de 44 mármore: 'Aqui, em 24 de julho de 1895, o segredo dos sonhos revelou-se ao Dr. Sigm. Freud'. Até agora é bem pequena a possibilidade de isso acontecer."

# FONTES

1. *Dreams*, 1961, p. 182.
2. *Dreams*, 1961, p. 608.
3. *Freud/Fliess*, 1985, p. 389, 26 de novembro de 1899.
4. *Pleasure Principle*, 2003, p. 51.
5. *An Outline of Psycho-Analysis*, 1961, p. 165.
6. *Freud/Fliess*, 1985, p. 302, 10 de março de 1898.
7. *Introductory Lectures*, 1961, p. 85 s.
8. *Dreams*, 1961, p. 620.
9. *Dreams*, 1961, p. 621.
10. *Freud/Fliess*, 1985, p. 345, 19 de fevereiro de 1899.
11. *Dreams*, 1961, p. 121.
12. *Dreams*, 1961, p. 124.
13. *Dreams*, 1961, p. 132.
14. *Dreams*, 1961, p. 233.
15. *An Outline of Psycho-Analysis*, 1961, p. 165.
16. *The Joke*, 2002, p. 174 s.
17. *The Joke*, 2002, p. 175.
18. *Dreams*, 1961, p. 312.
19. *The Joke*, 2002, p. 161.
20. *War and Death*, 2005, p. 180.
21. *The Joke*, 2002, p. 77.
22. *Dreams*, 1961, p. 279.
23. *History of the Movement*, 1961, p. 65.
24. *Dreams*, 1961, p. 227.
25. *Dreams*, 1961, p. 354.
26. *Dreams*, 1961, p. 356.
27. *Dreams*, 1961, p. 357.
28. *Dreams*, 1961, p. 242.
29. *Dreams*, 1961, p. 357.

30 *Dreams*, 1961, p. 364.
31 *Dreams*, 1961, p. 444.
32 *Dreams*, 1961, p. 524 s.
33 *An Outline of Psycho-Analysis*, 1961, p. 172.
34 *Dreams*, 1961, p. 119 s.
35 *Dreams*, 1961, p. 235.
36 *The Joke*, 2002, p. 14 s.
37 *Civilization*, 2004, p. 19.
38 *War and Death*, 2005, p. 193 s.
39 *History of the Movement*, 1961, p. 19.
40 *History of the Movement*, 1961, p. 20.
41 *Freud/Fliess*, 1985, p. 373 s., 21 de setembro de 1899.
42 *Freud/Fliess*, 1985, p. 422, 10 de julho de 1900.
43 *Freud/Fliess*, 1985, p. 354, 9 de junho de 1899.
44 *Freud/Fliess*, 1985, p. 417, 12 de junho de 1900.

# VI
# EROS E SEXUALIDADE

*"A 'beleza' e a 'atratividade' são, originalmente, propriedades do objeto sexual. É notável que os próprios órgãos genitais, cuja visão é sempre causa de excitação, quase nunca são considerados belos; por outro lado, a qualidade da beleza parece se ligar a certas características sexuais secundárias."*

Eros e sexualidade ocupam uma posição central na obra de Sigmund Freud. Tomando a ideia de sexualidade como ponto de partida, as análises de Freud foram muito além de quaisquer definições estreitas e convencionais, aproximando-se das concepções filosóficas de Eros, da moral sexual cultural e do desvio sexual. Freud reconheceu o impulso de vida – Eros – como o primeiro e principal instinto da vida humana e ligou-o à autopreservação, à preservação da espécie, à sobrevivência e à procriação. Via a libido como a energia psíquica vital do impulso de vida, pela qual a pessoa busca o prazer em si mesma, nos outros e também em objetos não humanos. (Na terminologia psicanalítica, a palavra *objeto* quase sempre se refere a uma *pessoa* a quem se dirige a ação ou o desejo.) Para descrever o direcionamento da libido para um objeto, Freud introduziu o conceito de *Besetzung*. Em contexto psicológico, essa palavra alemã de uso comum significa o "investimento" de energia psíquica num objeto (externo). Para as versões inglesas de sua obra, os tradutores de Freud inventaram o neologismo *cathexis* para traduzir *Besetzung*; em português, usa-se igualmente *catexia*. Aqui, como em muitos outros casos, o fato de os tradutores recorrerem a um termo grego (ou latino) emprestou aos escritos de Freud um ar esotérico que não o caracteriza no original em alemão. No quadro dessa "economia da libido", Freud estava convicto de que a inibição do impulso sexual pode ter graves consequências: "Além de todos aqueles que são homossexuais em virtude de sua organização, ou que assim se tornam na infância, deve-se contar o grande número daqueles em quem, na maturidade, um bloqueio da corrente principal de sua libido causou um alargamento do canal lateral da homossexualidade".

Para chegar a intuições decisivas acerca dos impulsos de vida e de morte – Eros e Tânatos –, Freud comparou e contrastou seus aspectos individuais. Eros geralmente representa o amor e o desejo sexual. Ansiamos por nos unir com o outro. No entanto, esse desejo de fusão também está ligado ao perigo de destruir o objeto. Assim, os objetos que amamos e desejamos são também aqueles que queremos destruir. Eros, o impulso de vida, visa desenvolver vínculos com os outros, ao passo que Tânatos, o impulso de morte, se esforça para dissolver os objetos. Caso um dos impulsos não seja contido por um agente psíquico moderador, irrompem quer o puro ódio destrutivo, quer a pura felicidade.

Para explorar esse complexo temático multirramificado, Freud empregou duas estratégias diferentes, que não raro produziram resultados contraditórios. Enquanto médico, tratou do problema formulando perguntas rigorosamente científicas e tomando como referência os conhecimentos comprovados da biologia e da fisiologia. Enquanto psicanalista, por outro lado, orientou seu interesse para a determinação dos fatores psíquicos da sexualidade, cuja influência sobre o desenvolvimento psíquico do indivíduo se exerce desde a infância. Assim, a teoria freudiana apresenta como foco central de interesse a sexualidade infantil, ou seja, a sexualidade humana desde o nascimento. Considera-se que não só o desenvolvimento sexual normal, mas também os desvios neuróticos ou perversos têm sua raiz nesse período. Freud sustenta que as operações da sexualidade já podem ser observadas no bebê recém-nascido. À medida que a criança cresce, vai manifestando impulsos sexuais que se iniciam com a fase oral inicial e passam depois pelas fases anal e fálica. A sexualidade infantil, que chega ao auge aos quatro anos de idade, vai sendo gradativamente suprimida no posterior período de latência. Nos bebês e nas crianças de colo, a energia sexual não tem um direcionamento: de início, se espalha de modo indiscriminado, sendo a ação da criança determinada unicamente pelo princípio de prazer. Nessa idade, os impulsos direcionam-se somente para as sensações de prazer que decorrem da satisfação de desejos. É só com o advento da puberdade que ganham uma nova intensidade, dando origem aos conflitos interiores da vida adulta, particularmente em vista das exigências cada vez maiores do princípio de realidade. Freud descreve o funcionamento dos impulsos como um fluxo dinâmico de energia psíquica entre os três agentes psíquicos: o id, o ego e o superego.

Freud acreditava que até no comportamento sexual dos adultos era possível provar a contínua operação das inibições e perturbações sexuais do início da infância. Os aspectos somáticos da sexualidade recuaram para segundo plano. Suas teorias também refletem uma época decadente, em que as sombras de um estilo de vida opulento e artificial já havia muito tinham começado a libertar-se de uma moral sexual rígida. Sob esse aspecto, o ensaio "A moral sexual 'civilizada' e a doença nervosa moderna" tem importância particular por representar uma resenha reveladora da moral sexual e da prática sexual da época. O ensaio lança suas raízes nas pesquisas que também redundaram na publicação, em 1905, dos *Três ensaios sobre a teoria da sexualidade*. Em ambas as obras, Freud lança luz sobre o modo pelo qual a sociedade exige a sublimação das energias sexuais do indivíduo e discute as dificuldades resultantes. Segundo Freud, essas exigências fazem muito mal para a vida sexual do ser humano civilizado. O vínculo permanente e indissolúvel entre um homem e uma mulher no casamento não é capaz de satisfazer a sexualidade masculina. Não obstante, em razão dos duplos padrões vigentes na época, esse impasse evidente não era mencionado, sendo essa a conclusão sumária a que Freud, resignado, chegou. Assim, ele também empreendeu um estudo crítico das formas alternativas de satisfação sexual, como a masturbação, e nisso optou às vezes por uma abordagem bem-humorada para expor suas ideias – citando, por exemplo, o dito de Karl Kraus: "A cópula não passa de um substituto insatisfatório da masturbação". As piadas sujas, por outro lado, revelavam-lhe a tendência exibicionista oculta de quem as contava...

Muitas ideias de Freud eram baseadas em sua teoria dos impulsos, segundo a qual cada impulso busca seu próprio alvo ou objeto. A fonte do impulso, no pensamento freudiano, é aquilo que é capaz de despertá-lo ou desencadeá-lo. Os exemplos de Freud vão desde a satisfação de desejos na primeira infância, como o de sugar o seio da mãe ou o polegar, até o impulso sexual. Ele observou nesse contexto que os desejos ou privações frequentemente continuam existindo no inconsciente, expressando-se no decorrer da vida numa inquietude, irritabilidade ou frustração indefiníveis.

1   "A 'beleza' e a 'atratividade' são, originalmente, propriedades do objeto sexual. É notável que os próprios órgãos genitais, cuja visão é sempre causa de excitação, quase nunca são considerados belos; por outro lado, a qualidade da beleza parece se ligar a certas características sexuais secundárias."

2   "É uma pena que sempre nos calamos acerca das coisas mais íntimas."

3   "No auge da paixão erótica, a fronteira entre o ego e o objeto corre o risco de se tornar indefinida."

4   "Nunca estamos tão pouco protegidos contra o sofrimento quanto quando amamos; nunca estamos tão desolados quanto quando perdemos o objeto do nosso amor ou o amor desse objeto por nós."

5   "Quando um relacionamento amoroso está no auge, os amantes já não se interessam pelo mundo ao seu redor; são autossuficientes enquanto par e, para ser felizes, não precisam sequer do filho que têm em comum."

6   "Se amo outra pessoa, é necessário que, de algum modo, ela o mereça. [...] O merecerá se, sob certos aspectos importantes, for tão semelhante a mim que, nela, eu possa amar a mim mesmo. O merecerá se for tão mais perfeita que eu que, nela, eu possa amar uma imagem ideal de mim mesmo."

7   "Tal é o meu exclusivismo quando amo."

"Como ficamos corajosos quando temos a certeza de sermos amados!"

"Há algo de terrível em dois seres humanos que se amam e não dispõem nem dos meios nem do tempo para dá-lo a saber um ao outro, e esperam até que algum infortúnio ou desacordo lhes arranque uma afirmação de afeto."

"Por que não nos embriagamos? Porque o desconforto e a miséria dos efeitos posteriores nos causa mais 'desprazer' do que o prazer que a embriaguez nos dá. Por que não nos apaixonamos por uma pessoa diferente a cada mês? Porque, a cada separação, um pedaço do nosso coração nos seria arrancado. Por que não fazemos amizade com todas as pessoas? Porque a perda desse amigo ou qualquer infelicidade que lhe sobreviesse nos afetaria profundamente."

"Você não se sente orgulhosa de conseguir fazer tão feliz uma pessoa que está tão longe?"

"Só se pode amar outra pessoa adequadamente quando se está próximo dela. O que é uma memória em comparação com o que se pode ver!"

"Querida, será possível que sejas afetuosa somente no verão e te congeles no inverno? Senta, portanto, e responde-me de imediato, para que eu ainda tenha tempo de arranjar para mim uma garota invernal."

"É muito estranho ver nossa filhinha (*Sophie Freud*) transformando-se de repente numa mulher amorosa."

15  "Talvez já saibas que o amor, como tudo o mais, deve ser aprendido. Assim, é difícil não cometer erros; não necessariamente o primeiro amor será o amor duradouro."

16  "Que o casamento não é uma instituição que satisfaça a sexualidade do marido é algo que não se tem coragem de dizer em público e em voz alta."

17  "O medo das consequências da relação sexual põe fim, primeiro, ao afeto físico do casal no matrimônio; depois, como resultado mais remoto, geralmente faz cessar também a simpatia mental entre ambos, simpatia essa que deveria suceder seu amor apaixonado original. A desilusão espiritual e a privação corpórea a que a maioria dos casamentos estão, portanto, condenados, reconduz os dois parceiros ao estado em que se encontravam antes do matrimônio, com a diferença de que agora estão mais pobres por haver perdido uma ilusão; e mais uma vez têm de recorrer à fortaleza para dominar e redirecionar seu instinto sexual."

18  "Duas coisas podem dar origem a uma sensação de ansiedade no coito interrompido: na mulher, o medo de engravidar; no homem, a preocupação com a possibilidade de falhar nessa proeza."

19  "Também no meu caso constatei o fenômeno de estar apaixonado por minha mãe e ter ciúmes do meu pai, e agora entendo esse fato como algo que acontece universalmente nos primeiros anos da infância, embora não ocorra tão cedo em crianças que foram tornadas histéricas."

"Em minha opinião, é aconselhável em geral, e especialmente no caso dos neuróticos, pressupor a existência de um complexo de Édipo completo." 20

"A moral sexual definida pela sociedade, em sua forma mais extrema – que é a dos Estados Unidos –, me parece extremamente desprezível. Defendo uma vida sexual infinitamente mais livre, embora eu próprio mal tenha feito uso dessa liberdade. Só o fiz na medida em que considerei ter esse direito." 21

"Afinal de contas, a vida sexual do homem civilizado foi severamente danificada; temos às vezes a impressão de que, enquanto função, está sujeita a um processo de involução semelhante ao que nossos dentes e cabelos parecem estar sofrendo enquanto órgãos." 22

"A moral sexual 'dupla' que vale para os homens em nossa sociedade é a confissão mais patente de que a própria sociedade não acredita na possibilidade de serem observados os preceitos que ela própria estabeleceu." 23

"Quando um homem é enérgico em conquistar o objeto do seu amor, temos confiança de que buscará outros objetivos com a mesma firmeza e energia; se, porém, por razões de qualquer tipo, ele não se permite satisfazer seus fortes instintos sexuais, seu comportamento será conciliador e resignado, e não vigoroso, também nas outras esferas da vida." 24

25  "Há dois tipos de pacientes do sexo feminino: um tipo é tão fiel ao médico quanto ao marido, e o outro troca de médico com a mesma frequência com que troca de amante."

26  "A tendência de voltar o olhar para os elementos específicos de cada sexo em sua nudez é um dos componentes originais da nossa libido."

27  "Quem ri da conversa obscena que ouviu ri como um espectador de um ato de agressão sexual."

28  "Afinal de contas, o sadismo era claramente um elemento da vida sexual, na qual a ternura podia ser substituída pela crueldade."

29  "É fácil observar nas crianças pequenas a tendência de se mostrarem nuas."

30  "Na infância, os órgãos genitais femininos e o ânus são vistos como uma única área – o 'bumbum' (de acordo com a teoria infantil da 'cloaca'). É só em época posterior que se descobre que essa região do corpo comporta duas cavidades e dois orifícios diferentes."

31  "A vida sexual não começa somente na puberdade, mas se desencadeia logo após o nascimento, com manifestações evidentes."

32  "O primeiro órgão a surgir como zona erógena e a impor exigências libidinosas à mente é, a partir do momento do nascimento, a boca."

"A persistência obstinada do bebê na sucção evidencia, nesse 33 primeiríssimo estágio, uma necessidade de satisfação que, conquanto se origine da nutrição e seja por ela instigada, se esforça, não obstante, por obter prazer independentemente da nutrição, e, por essa razão, pode e deve ser denominada *sexual*."

"A análise mostra com frequência que uma menininha, depois de 34 ter que abandonar o pai como objeto de amor, porá sua masculinidade em primeiro plano e identificar-se-á com o pai (isto é, com o objeto perdido) e não com a mãe. Isso depende, evidentemente, de a masculinidade em sua constituição – no que quer que ela consista – ser forte o suficiente."

"Com muita frequência, o irmão é um pervertido sexual, ao passo 35 que a irmã – a qual, sendo mulher, tem um instinto sexual mais fraco – é uma neurótica cujos sintomas expressam as mesmas tendências verificadas nas perversões de seu irmão sexualmente mais ativo. De modo correspondente, em muitas famílias os homens são saudáveis, embora imorais em grau indesejável do ponto de vista social, ao passo que as mulheres são dignas e excessivamente refinadas, mas severamente neuróticas."

"Como descobrimos, os sintomas das neuroses são essencial- 36 mente satisfações substitutas de desejos sexuais insatisfeitos."

"Caso se pergunte a um paciente jovem se ele já se masturbou, a 37 única resposta que se obtém é: 'O na, nie' (*literalmente:* 'Oh, não, nunca'; Onanie: 'masturbação')."

38  "Tive a intuição de que a masturbação é o hábito principal, a 'dependência primária', e é somente em caráter substitutivo que as outras dependências – do álcool, morfina, tabaco etc. – vêm à existência."

39  "Muita gente que se gaba de sua abstinência sexual só é capaz disso com a ajuda da masturbação e de satisfações semelhantes ligadas às atividades sexuais autoeróticas da infância."

40  "A masturbação [...] está longe de atender às exigências ideais da moral sexual civilizada, e, consequentemente, conduz os jovens aos mesmos conflitos com os ideais da educação de que tinham a esperança de escapar por meio da abstinência sexual. Além disso, ela vicia o caráter por meio da entrega irrestrita, e o faz de várias maneiras. Em primeiro lugar, ensina as pessoas a alcançar objetivos importantes sem fazer esforço e por meio de caminhos fáceis, e não através de um emprego enérgico da força – ou seja, segue o princípio de que a sexualidade estabelece o padrão para o comportamento. Em segundo lugar, nas fantasias que acompanham a satisfação, o objeto sexual é elevado a um grau de excelência que não se encontra facilmente na realidade. Um escritor espirituoso (Karl Kraus, no jornal *Die Fackel*, de Viena) certa vez expressou essa verdade sob o aspecto inverso, comentando: 'A cópula não passa de um substituto insatisfatório da masturbação'."

41  "Além de todos aqueles que são homossexuais em virtude de sua organização, ou que assim se tornam na infância, deve-se contar o grande número daqueles em quem, na maturidade, um bloqueio da corrente principal de sua libido causou um alargamento do canal lateral da homossexualidade."

"É uma grande injustiça, e também uma crueldade, perseguir a 42 homossexualidade como se fosse um crime."

"Segundo nossa hipótese, os impulsos do homem são de dois ti- 43 pos somente: os que buscam preservar e unir – chamamo-los eróticos no sentido exato em que Platão usa o termo Eros em seu *Banquete*, ou sexuais, ampliando deliberadamente a concepção popular de sexualidade – e outros que buscam destruir e matar – reunimo-los sob a rubrica de impulso de agressão ou impulso de destruição. [...] Cada um desses impulsos é tão essencial quanto o outro, e as manifestações da vida nascem dos efeitos concorrentes e mutuamente opostos de cada um."

"Os seres humanos avançaram a tal ponto no controle das for- 44 ças da natureza que, com a ajuda dessas forças, não terão dificuldade para exterminarem-se uns aos outros, até o último homem. Sabem disso, e é esse conhecimento que explica boa parte da atual inquietação, infelicidade e ansiedade. E agora espera-se que a segunda das duas 'potências celestes', o imortal Eros, procure afirmar-se na luta contra seu adversário igualmente imortal."

"A ejeção dos fluidos sexuais no ato sexual corresponde, em certo 45 sentido, à separação entre o soma e o plasma germinal. Isso explica a semelhança entre o estado que se segue à completa satisfação sexual e a morte, bem como o fato de que, em alguns animais inferiores, a morte coincide com o ato da cópula."

46 "Nos processos sexuais temos o indispensável 'fundamento orgânico' sem o qual um homem médico só pode se sentir pouco à vontade na vida da psique."

47 "Nesse meio-tempo, as coisas se tornaram mais animadas. Os assuntos sexuais atraem pessoas que, depois do choque inicial, vão embora convencidas, exclamando: 'Ninguém jamais me perguntou isso!'."

48 "O que se pede de nós é, nada mais, nada menos, que abjuremos da nossa crença no impulso sexual. A única reação possível é professá-la abertamente [...]"

## Fontes

1 *Civilization*, 2004, p. 25 s.
2 *Freud/Fliess*, 1985, p. 285, 3 de dezembro de 1897.
3 *Civilization*, 2004, p. 3.
4 *Civilization*, 2004, p. 25.
5 *Civilization*, 2004, p. 56.
6 *Civilization*, 2004, p. 58.
7 *Letters*, 1961, p. 9, 19 de junho de 1882, a Martha Bernays.
8 *Letters*, 1961, p. 11, 27 de junho de 1882, a Martha Bernays.
9 *Letters*, 1961, p. 27 s., 18 de agosto de 1882, a Martha Bernays.
10 *Letters*, 1961, p. 50, 29 de agosto de 1883, a Martha Bernays.
11 *Letters*, 1961, p. 94, 28 de janeiro de 1884, a Martha Bernays.
12 *Letters*, 1961, p. 158, 26 de junho de 1885, a Martha Bernays.
13 *Letters*, 1961, p. 136, 21 de janeiro de 1885, a Martha Bernays.
14 *Letters*, 1961, p. 290, 24 de julho de 1912, a Max Halberstadt.
15 *Briefe an die Kinder*, 2010, p. 56, 6 de maio de 1908, a Mathilde Freud.
16 *The Joke*, 2002, p.108.

17 *Sexual Morality*, 1961, p. 194 s.
18 *Freud/Fliess*, 1985, p. 78, 21 de maio de 1894.
19 *Freud/Fliess*, 1985, p. 272, 15 de outubro de 1897.
20 *The Ego and the Id*, 1961, p. 32.
21 *Letters*, 1961, p. 308, 8 de julho de 1915, a James J. Putnam.
22 *Civilization*, 2004, p. 53.
23 *Sexual Morality*, 1961, p. 195.
24 *Sexual Morality*, 1961, p. 198.
25 *Freud/Fliess*, 1985, p. 110, 24 de janeiro de 1895.
26 *The Joke*, 2002, p. 95.
27 *The Joke*, 2002, p. 95.
28 *Civilization*, 2004, p. 69.
29 *The Joke*, 2002, p. 95.
30 *Dreams*, 1961, p. 354 s.
31 *An Outline of Psycho-Analysis*, 1961, p. 152.
32 *An Outline of Psycho-Analysis*, 1961, p. 153.
33 *An Outline of Psycho-Analysis*, 1961, p. 154.
34 *The Ego and the Id*, 1961, p. 32.
35 *Sexual Morality*, 1961, p. 191 s.
36 *Civilization*, 2004, p. 97.
37 *The Joke*, 2002, p. 25.
38 *Freud/Fliess*, 1985, p. 287, 22 de dezembro de 1897.
39 *Sexual Morality*, 1961, p. 199.
40 *Sexual Morality*, 1961, p. 199 s.
41 *Sexual Morality*, 1961, p. 200 s.
42 *Briefe*, 1968, p. 438, 9 de abril de 1935, a N. N.
43 *Why War?*, 2005, p. 227.
44 *Civilization*, 2004, p. 106.
45 *The Ego and the Id*, 1961, p. 47.
46 *Freud/Jung*, 1991, p. 108, 19 de abril de 1908.
47 *Freud/Fliess*, 1985, p. 57, 6 de outubro de 1893.
48 *Freud/Jung*, 1991, p. 58, 7 de abril de 1907.

# VII
## Ciência e Análise

*"* Não é fácil tratar os sentimentos de modo científico. *"*

Ao fundar a psicanálise, Sigmund Freud criou uma nova forma de terapia para problemas psicológicos. Ao mesmo tempo, via sua criação como uma ciência inovadora. Assim, propôs-se criar uma superestrutura teórica que, uma vez formulada, estabelecesse suas pesquisas psicológicas como uma escola independente de pensamento, com implicações profundas para a filosofia, as humanidades e as ciências sociais. No livro *Freud*, Anthony Storr escreve: "Freud tinha a pretensão de ser um cientista e certamente não era um filósofo no sentido técnico, nem se interessava particularmente por essa disciplina, muito embora houvesse traduzido, na juventude, um livro de John Stuart Mill. Não obstante, assemelhava-se a alguns filósofos por ser o construtor de um sistema. Já no início de sua história, a psicanálise deixou os estreitos limites do consultório e fez incursões pela antropologia, sociologia, religião, literatura, arte e as ciências ocultas".

Para Freud, havia uma separação rígida entre as atividades científica e terapêutica. Ele dividia seu trabalho em duas atividades diferentes e com objetivos distintos: primeiro, trabalhar com os pacientes usando a associação livre, ou seja, "analisando-os"; depois, avaliar cientificamente as observações feitas durante as sessões de análise, reunindo-as num "processo sintético de pensamento". Para Freud, a psicanálise era uma ciência em contínua expansão; por isso, não surpreende que ele tenha feito múltiplas revisões de suas teorias e retrabalhado textos fundamentais. Além de seguir seus interesses teóricos num diálogo com outros médicos e pensadores, Freud postulou para si o objetivo de institucionalizar e ancorar o movimento psicanalítico no mundo inteiro. Buscou patrocinadores e, às vezes, empenhou seus modestos recursos financeiros para publicar suas obras. Antes de tudo, cultivou a Associação Psicanalítica Internacional, recrutando novos membros e, quando necessário, expulsando membros antigos.

Uma das mais importantes influências científicas que Freud sofreu foi a de Jean-Martin Charcot, com quem, graças a uma bolsa, estudou em Paris em 1885-86. O neurologista francês, famoso por suas pesquisas sobre hipnose no Hospital Salpêtrière, reconheceu em Freud um aluno extraordinariamente prendado. A convivência com Charcot proporcionou a Freud o impulso decisivo para que ele abandonasse sua área de especialização, a neurologia, e se encaminhasse para a psiquiatria, muito embora continuasse atendendo como neuropatologista. Em 1895, com Josef Breuer, publicou *Estudos sobre a histeria*, que assinalou o começo do seu trabalho psicanalítico. No livro, os autores formulam a tese – declarada pela primeira vez em 1893 – de que a chamada "histeria" era derivada de causas mentais, não sendo, portanto, consequência de uma doença física. Até então, os pacientes com dor, dificuldade para respirar, vertigens e outros sintomas inexplicados eram tratados como se tais problemas tivessem origem corporal. As ideias dos dois médicos vienenses revolucionaram o conceito de histeria, que até aquela época era uma espécie de depósito onde se jogavam distúrbios de todo tipo.

Logo após a publicação do livro, Freud começou a reduzir seu contato com Breuer e a concentrar-se no desenvolvimento de suas próprias teorias. Seu objetivo primário logo passou a ser o de completar e publicar *A interpretação dos sonhos*. Nesse livro, ele elaborou pela primeira vez uma teoria completa da abordagem psicanalítica; essa obra é considerada a primeira introdução sistemática às técnicas da psicanálise. Anos depois, em 1910, no congresso psicanalítico de Nuremberg, Freud anunciou seu plano de redigir um compêndio completo do método psicanalítico. Esse plano, porém, nunca se realizou, de modo que os princípios básicos da psicanálise foram desenvolvidos em vários ensaios publicados separadamente. Essas obras não proporcionam um conjunto cabal de regras sobre como conduzir a psicanálise; foram concebidos como recomendações para o tratamento terapêutico de pacientes.

A única obra que pode ser comparada a um compêndio no sentido clássico é *Conferências introdutórias sobre psicanálise*, proferidas por Freud entre 1915 e 1917 a estudantes de diversas faculdades da Universidade de Viena. Essas conferências, que delineiam os teoremas fundamentais da psicanálise, foram publicadas em três edições, em 1916 e 1917.

Embora não seja um texto científico, o ensaio "Sobre a história do movimento psicanalítico" tem importância central no desenvolvimento da psicanálise sob a óptica histórica. Escrito em 1914, apresenta a visão de Freud sobre a renúncia de C. G. Jung ao cargo de presidente da Associação Psicanalítica Internacional e o cisma que o movimento psicanalítico então sofreu. Freud defendeu o modo como agiu com "dissidentes" como Jung, que o introduzira aos círculos psiquiátricos internacionais, e Alfred Adler, que fora obrigado a abandonar o movimento psicanalítico havia anos. Nesse texto polêmico, Freud reclama para si o direito exclusivo de definir a psicanálise. Jung e Adler continuaram vendo-se como psicanalistas que simplesmente haviam modificado as ideias de Freud. Em "Sobre a história do movimento psicanalítico", Freud declara sua posição sobre o porquê de recusar-lhes esse direito, demonstrando as diferenças entre suas teorias e as de Adler e Jung – e, a seu ver, as fraquezas destas últimas.

Em 1938, Freud se dispôs a redigir um apanhado final de suas teorias: o *Esboço de psicanálise*, que não chegou a ser terminado, pretendia fornecer um resumo completo do trabalho – iniciado em 1895 com *Estudos sobre a histeria* – a que dedicara a maior parte da sua vida. Esse último texto foi publicado após sua morte. Juntamente com *Moisés e o monoteísmo*, uma excursão pela teoria da religião, pode ser visto como o legado que Freud, exaurido pela longa batalha contra o câncer e pela proximidade da morte, queria deixar à posteridade.

1 "Não é fácil tratar os sentimentos de modo científico."

2 "As palavras são um material maleável que permite que com ele se faça todo tipo de coisa."

3 "O principal paciente com que me preocupo sou eu mesmo."

4 "Nunca controlaremos por completo a natureza; nossa constituição, que ela própria faz parte dessa natureza, sempre será uma estrutura transitória, com uma capacidade limitada de adaptação e realização."

5 "Há muito os filósofos e os estudiosos da natureza humana nos ensinaram que erramos ao considerar nossa inteligência como um poder autônomo, ignorando quanto ela depende da nossa vida emocional."

6 "Na realidade, o ego é como o palhaço do circo, que sempre faz ou diz alguma coisa para levar o público a pensar que o que quer que esteja acontecendo é obra dele."

7 "A tese de que há impulsos dirigidos para a autopreservação, impulsos que atribuímos a todos os seres vivos, opõe-se radicalmente à hipótese de que toda a vida dos impulsos serve para buscar a morte."

8 "O objetivo de toda a vida é a morte, ou, para dizê-lo de forma retrospectiva: o inanimado existia antes do animado."

"A tensão entre o rigoroso superego e o ego a ele sujeito é o que chamamos 'sentimento de culpa'; este se manifesta como uma necessidade de punição." 9

"O superego é uma autoridade que postulamos, e a consciência é uma função que lhe atribuímos – sendo essa função a de supervisionar e avaliar os atos e intenções do ego, exercendo sobre ele uma espécie de censura." 10

"As regras que regem a lógica não têm peso algum no inconsciente, que pode ser chamado de Reino do Ilogismo." 11

"À mais antiga dessas regiões ou desses agentes psíquicos damos o nome de id. Ele contém tudo o que é herdado, que já está presente ao nascimento, que faz parte da constituição do indivíduo – acima de tudo, portanto, os instintos, que se originam da organização somática e encontram aqui (no id) uma primeira expressão psíquica por meio de formas que nos são desconhecidas." 12

"Um ato do ego é como deve ser quando satisfaz simultaneamente às exigências do id, do superego e da realidade – ou seja, quando é capaz de reconciliar todas essas exigências entre si." 13

"As forças que supomos existir por trás das tensões causadas pelas necessidades do id são chamadas instintos. Elas representam as exigências que o corpo faz à mente. Embora sejam a causa última 14 de toda atividade, têm natureza conservadora; o estado que um organismo alcançou, seja ele qual for, dá origem à tendência de restabelecer esse estado assim que ele é abandonado."

15  "O impulso de morte se torna impulso de destruição quando é aplicado externamente, contra objetos, com a ajuda de certos órgãos. O organismo preserva sua própria vida, por assim dizer, destruindo aquilo que lhe é estranho."

16  "A psicanálise não precisa se envergonhar se fala do amor neste contexto, pois a religião diz a mesma coisa: ama o teu próximo como a ti mesmo. É mais fácil dizê-lo do que fazê-lo. O outro tipo de vínculo emocional é aquele que decorre da identificação. Tudo quanto produza afinidades significativas entre seres humanos produz essas emoções partilhadas em comum, essas identificações. Uma parte significativa da estrutura da sociedade humana é baseada nelas."

17  "Descobriu-se que as pessoas se tornam neuróticas porque não suportam o grau de privação que a sociedade lhes impõe a serviço de seus ideais culturais, e inferiu-se que a suspensão ou uma substancial redução dessas exigências acarretaria um retorno à possibilidade de felicidade."

18  "As histéricas sofrem sobretudo de reminiscências."

19  "Os 'pensamentos involuntários' tendem a suscitar uma resistência violentíssima, que busca impedir que venham à tona."

"Realidade – satisfação de desejos: é desses dois opostos que nasce nossa vida mental." 20

"É evidente de imediato que as crianças reproduzem, em suas brincadeiras, tudo que lhes causou forte impressão, e que, assim fazendo, ab-reagem à intensidade da experiência e tornam-se, por assim dizer, senhoras da situação. Por outro lado, é igualmente claro que todas as suas brincadeiras são influenciadas pelo desejo predominante nessa idade em particular: ser adulto e ser capaz de fazer o que os adultos fazem." 21

"Na minha opinião, a psicologia infantil está destinada a prestar à psicologia adulta os mesmos serviços úteis que o estudo da estrutura ou desenvolvimento dos animais inferiores prestou à pesquisa da estrutura dos animais de classes superiores." 22

"Como sabes, o temperamento do explorador exige duas qualidades básicas: otimismo na tentativa e crítica no trabalho." 23

"O homem que começou a ter um vislumbre da grandeza do universo, com todas as suas complexidades e suas leis, rapidamente se esquece de seu eu insignificante." 24

"Pois, na realidade, não sou em absoluto um homem de ciência, nem um observador, nem um experimentador, nem um pensador. Por temperamento, não sou outra coisa senão um conquistador – um aventureiro, se quiseres –, com toda a curiosidade, a audácia e a tenacidade características desse tipo de homem." 25

26 "Não aprendi o suficiente para ser um clínico, e, no meu desenvolvimento em medicina, há uma falha que depois foi laboriosamente corrigida."

27 "Sei que, para um médico, o trabalho e a renda são duas coisas muito diferentes. Às vezes ganhamos dinheiro sem mexer um dedo e às vezes trabalhamos como escravos sem recompensa alguma."

28 "Na juventude, eu não tinha outro anseio que não o do conhecimento filosófico, e agora, transitando da medicina para a psicologia, estou prestes a realizá-lo. Tornei-me um terapeuta contra a minha vontade; estou convicto de que, dadas certas condições relativas à pessoa e ao caso, sou definitivamente capaz de curar a histeria e a neurose obsessiva."

29 "Não que eu duvide do conteúdo de verdade em minhas doutrinas, mas tenho dificuldade para crer que possam exercer uma influência demonstrável sobre o desenvolvimento do futuro imediato."

30 "Os ensinamentos da psicanálise se baseiam num número incalculável de observações e experiências, e somente alguém que tenha repetido essas observações em si mesmo e em outras pessoas tem condições de fazer um juízo próprio sobre ela."

31 "A psicanálise era, acima de tudo, uma arte de interpretação."

32 "A psicanálise é como uma mulher que quer ser seduzida, mas sabe que não será devidamente valorizada caso não ofereça resistência."

"Buscamos os resultados sóbrios de pesquisas ou de reflexões ba- 33
seadas em pesquisas, e não buscamos conferir a esses resultados
qualquer outra qualidade que não a da confiabilidade."

"É difícil praticar a psicanálise em isolamento; trata-se de uma 34
atividade extremamente social. Seria muito melhor se todos nós
rugíssemos ou uivássemos em coro e no mesmo ritmo, em vez de
cada qual rosnar consigo mesmo em seu canto."

"A psicanálise é desconfiada, com razão. Uma de suas regras é 35
que tudo quanto interrompe o progresso do trabalho analítico é
uma resistência."

"Com os neuróticos, portanto, fazemos nosso pacto: sinceridade 36
completa de um lado e rigorosa discrição do outro."

"Uma relação sexual efetiva entre pacientes e analistas está fora 37
de questão, e mesmo os métodos mais sutis de satisfação, como a
concessão de favores, a intimidade e por aí afora, só raramente
são concedidos pelo analista."

"A psicanálise é um instrumento que permite ao ego efetuar uma 38
conquista progressiva do id."

"Embora já há muito tempo eu não seja o único psicanalista, con- 39
sidero-me justificado ao sustentar que, até hoje, ninguém melhor
do que eu é capaz de saber o que é a psicanálise, como ela difere

de outros caminhos de investigação da vida mental e exatamente o que deve ser chamado de psicanálise e o que deve ser designado por algum outro nome."

40 "Durante o verão, gostaria de voltar por certo tempo à anatomia; afinal de contas, ela é a única coisa que me satisfaz."

41 "Devo confessar que não sou nem um pouco favorável à invenção de *Weltanschauungen* (*visões de mundo*). Essas atividades devem ser deixadas a cargo dos filósofos, que declaradamente consideram impossível fazer sua caminhada pela vida sem um guia desse tipo que lhes dê informações sobre todos os assuntos. [...] Sabemos muito bem quão pouca é a luz que a ciência, até agora, foi capaz de lançar sobre os problemas que nos rodeiam. Os filósofos, porém, por mais barulho que façam, não são capazes de alterar a situação. Somente uma pesquisa paciente e perseverante, na qual tudo seja subordinado à exigência única de certeza, pode produzir aos poucos uma mudança. O viajante noturno pode até cantar alto no escuro para negar o próprio medo, mas isso não o fará ver um palmo adiante do seu nariz."

42 "Por enquanto, a psicanálise é compatível com várias visões de mundo. Mas será que já deu sua última palavra?"

43 "Em vista do tipo de material com que trabalhamos, jamais será possível evitar pequenas explosões no laboratório."

"Uma análise bem feita é um processo lento. Em alguns casos, eu 44
mesmo só fui capaz de descobrir o núcleo do problema após muitos anos — não, porém, de análise contínua —, e não consegui determinar onde havia errado em minha técnica."

"É, evidentemente, de grande importância para o progresso da 45
análise que sempre estejamos, no fim, com a razão no que se refere ao paciente, caso contrário, seríamos sempre dependentes daquilo que ele decidisse nos contar."

"A atividade psicanalítica é árdua e exigente; não se pode lidar 46
com ela como se fosse um par de óculos que se põe para a leitura e se tira para caminhar."

"Os parentes incultos de nossos pacientes, que só se deixam im- 47
pressionar por coisas visíveis e tangíveis — preferivelmente por ações do tipo que se vê no cinema —, nunca deixam de expressar dúvidas quanto à possibilidade de 'se fazer algo acerca de uma doença por meio de meras conversas'. Trata-se, como é óbvio, de um pensamento míope e incoerente. São as mesmas pessoas que têm certeza de que os pacientes 'simplesmente imaginam' seus sintomas."

"De todas as crenças errôneas e supersticiosas da humanidade 48
que supostamente foram superadas, não há nenhuma cujos resíduos não sobrevivam entre nós hoje nas camadas inferiores dos povos civilizados ou mesmo na camada mais alta da sociedade

cultural. O que uma vez ganhou vida agarra-se tenazmente à existência. Temos a tendência de duvidar, às vezes, de que os dragões das eras primordiais estejam mesmo extintos."

49 "Minhas conferências são assistidas por onze alunos que se sentam ali com lápis e papel e quase nada ouvem de positivo."

50 "Uma conferência sobre a etiologia da histeria, na sociedade psiquiátrica, foi recebida hoje com frieza pelos asnos e avaliada de maneira estranha por Krafft-Ebbing: 'Parece um conto de fadas científico'. E isso depois de haver-se demonstrado perante eles a solução de um problema velho de mil anos...! Para usar um eufemismo, eles que vão para o inferno."

51 "A psicologia é, realmente, uma cruz a ser carregada. De qualquer forma, jogar boliche ou colher cogumelos são passatempos muito mais saudáveis."

52 "Tenho a esperança de estar bem provido de interesses científicos até o fim da minha vida. Fora isso, no entanto, já mal sou humano. Às 10h30 da noite, após minhas consultas, estou morto de cansaço."

53 "Assim como o arqueólogo reconstrói as paredes do edifício a partir das fundações que ainda restam, determina o número e a posição dos pilares a partir de depressões no solo e reconstrói pinturas a partir dos restos encontrados em meio ao entulho,

assim também procede o analista quando faz inferências a partir de fragmentos de memória, de associações e do comportamento do sujeito da análise."

"[...] Não desprezemos a palavra. Afinal de contas, ela é um instrumento poderoso; é o meio pelo qual comunicamos nossos sentimentos uns aos outros, o método pelo qual influenciamos as outras pessoas. As palavras podem fazer um bem indizível e causar feridas terríveis. Não há dúvida de que 'no princípio era a ação' e a palavra veio depois; em algumas circunstâncias, quando as ações foram suavizadas na forma de palavras, isso significou um avanço da civilização. Originalmente, porém, a palavra era magia, um ato mágico; e ainda conserva boa parte do seu antigo poder." 54

## Fontes

1 *Civilization*, 2004, p. 2.
2 *The Joke*, 2002, p. 27.
3 *Freud/Fliess*, 1985, p. 261, 14 de agosto de 1897.
4 *The Joke*, 2002, p. 29.
5 *War and Death*, 2005, p. 181.
6 *Freud/Jung*, 1991, p. 219, 1º de março de 1911.
7 *Pleasure Principle*, 2003, p. 79.
8 *Pleasure Principle*, 2003, p. 78.
9 *Civilization*, 2004, p. 77.
10 *Civilization*, 2004, p. 94.
11 *An Outline of Psycho-Analysis*, 1961, p. 168 s.
12 *An Outline of Psycho-Analysis*, 1961, p. 145.
13 *An Outline of Psycho-Analysis*, 1961, p. 146.

14 *An Outline of Psycho-Analysis*, 1961, p. 148.
15 *Why War?*, 2005, p. 228.
16 *Why War?*, 2005, p. 230.
17 *Civilization*, 2004, p. 2.
18 *Pleasure Principle*, 2003, p. 51.
19 *Dreams*, 1961, p. 102.
20 *Freud/Fliess*, 1985, p. 345, 19 de fevereiro de 1899.
21 *Pleasure Principle*, 2003, p. 55.
22 *Dreams*, 1961, p. 127.
23 *Letters*, 1961, p. 108, 21 April 1884, a Martha Bernays.
24 *Leonardo Da Vinci*, 1961, p. 77 s.
25 *Freud/Fliess*, 1985, p. 398, 1º de fevereiro de 1900.
26 *Freud/Fliess*, 1985, p. 23, 29 de agosto de 1888.
27 *Letters*, 1961, p. 217, 13 de maio de 1886, a Martha Bernays.
28 *Freud/Fliess*, 1985, p. 180, 2 de abril de 1896.
29 *Letters*, 1961, p. 429, 18 de maio de 1936, a Stefan Zweig.
30 *An Outline of Psycho-Analysis*, 1961, p. 144.
31 *Pleasure Principle*, 2003, p. 56.
32 *Pleasure Principle*, 2003, p. 77.
33 *Letters*, 1961, p. 449, 20 de julho de 1938, a Stefan Zweig.
34 *Letters*, 1961, p. 355, 21 de dezembro de 1924, a Georg Groddeck.
35 *Dreams*, 1961, p. 517.
36 *An Outline of Psycho-Analysis*, 1961, p. 174.
37 *An Outline of Psycho-Analysis*, 1961, p. 176.
38 *The Ego and the Id*, 1961, p. 56.
39 *History of the Movement*, 1961, p. 7.
40 *Freud/Fliess*, 1985, p. 70, 6 de maio de 1894.
41 *Inhibitions, Symptoms and Anxiety*, 1961, p. 96.
42 *Letters*, 1961, p. 309, 8 de julho de 1915, a James J. Putnam.
43 *Freud/Jung*, 1991, p. 154, 18 de junho de 1909.
44 *Freud/Zweig*, 1970, p. 107, 13 de junho de 1935.

45 *Studies on Hysteria*, 1961, p. 281.
46 *New Introductory Lectures*, 1961, p. 152 s.
47 *Introductory Lectures*, 1961, p. 17.
48 *Analysis Terminable and Interminable*, 1961, p. 229.
49 *Freud/Fliess*, 1985, p. 277, 5 de novembro de 1897.
50 *Freud/Fliess*, 1985, p. 184, 26 de abril de 1896.
51 *Freud/Fliess*, 1985, p. 136, 16 de agosto de 1895.
52 *Freud/Fliess*, 1985, p. 172, 2 de fevereiro de 1896.
53 *Constructions in Analysis*, 1961, p. 259.
54 *Lay Analysis*, 1961, p. 187 s.

# VIII
## SAGACIDADE E HUMOR

*"Quando realmente rimos com gosto de uma piada, não estamos no estado mental mais adequado para investigarmos sua técnica."*

As piadas costumam ser contadas por adultos. Sigmund Freud, cujas piadas dão testemunho de sua eloquência, gostava de apimentar seus escritos com chistes. citações e comentários sarcásticos. Mesmo em materiais tão secos quanto seu revolucionário tratado teórico sobre *O ego e o id* (1923), Freud conseguia usar o humor como veículo para tornar a pura teoria psicanalítica compreensível para um público leitor mais amplo. Quando Freud enviou *A interpretação dos sonhos* para seu grande amigo Wilhelm Fliess e pediu-lhe a opinião, Fliess comentou que os sonhos que Freud usara como exemplos eram demasiado humorísticos. Numa carta datada de 11 de setembro de 1899, Freud respondeu: "Todos os sonhadores são, por igual, desagradavelmente espirituosos, e precisam sê-lo, pois estão sob pressão e a rota direta lhes foi bloqueada". Embora essa declaração sublinhe o ponto de vista pessimista de Freud, temos de observar que Freud jamais perdeu completamente o senso de humor – embora às vezes parecesse receptivo somente ao humor negro ou a outras tiradas cínicas e irônicas.

Em seus comentários cínicos, gostava de invocar o nome de seu escritor favorito, Heinrich Heine, que sempre tinha ocasião de citar em suas discussões. Mais que Heine, porém, era o humor judaico que alimentava a extensa coleção de piadas de Freud. O teor básico de muitas dessas piadas judaicas é altamente autocrítico, e hoje, num mundo pós-holocausto, algumas delas despertam sentimentos de inquietude. Correspondentemente, o discurso que expressa as opiniões de Freud sobre os judeus da Europa Oriental é repleto de perspectivas contraditórias: acaso Freud procurava distanciar-se de um grupo de "imigrantes" frequentemente desprezados, a que ele próprio pertencia, ou estava prestando uma homenagem à tradição piadística do *fin de siècle*, na qual piadas sobre judeus – ou prussianos, ou bávaros, por exemplo – eram rotineiramente contadas por escritores e comediantes judeus? Em assuntos mais sérios, entretanto, Freud demonstrou grande solidariedade com seus contemporâneos judeus, e considerava que sua identidade judaica era algo que sempre sobreviveria às vicissitudes do tempo.

Enquanto psicanalista, Freud via seu repertório de piadas como algo que ultrapassava a esfera privada e era mais que mera questão de gosto: esse repertório também lhe proporcionou um material importante para elucidar os processos psíquicos. Fascinavam-no não somente os mecanismos das piadas e jogos de palavras, mas também aquilo que o humor oculta e disfarça, coisas que Freud procurou evidenciar tanto em quem faz a piada quanto em que a ouve. Ainda na qualidade de jovem médico, Sigmund Freud reconhecera que as pesquisas sobre a psicopatologia humana deveriam levar em conta não somente o sonho e a *parapraxis* (o ato falho freudiano), mas também o chiste. Não obstante, embora *A interpretação dos sonhos* e *A psicopatologia da vida cotidiana* sejam conhecidos por leitores do mundo inteiro,

*O chiste e sua relação com o inconsciente*, de 1905, permanece à sombra das obras mencionadas. Isso não deixa de ser uma surpresa, pois o repertório de piadas e o humor contido no livro o tornam atraente para um público mais amplo. Não obstante, essa obra continua sendo conhecida somente por quem é do ramo, embora o pai da psicanálise revele, nela, o seu lado humorístico.

As piadas e o humor têm relação com o prazer. Segundo Freud, a essência do prazer é que se evitem os sentimentos negativos. O humorista não nega de modo algum a existência do sofrimento; meramente finge superioridade. Em seu tratado sobre o chiste, Freud aquilata o ato de contar piadas como uma atividade muito "séria" da psique, que facilita a satisfação de um impulso agressivo porque suspende os mecanismos usuais de repressão e supressão. O prazer e o riso surgem por meio da súbita negação dos agentes psíquicos inibidores. No contexto de sua análise das piadas, Freud também chega à conclusão de que as piadas dão, em certa medida, uma medida do que uma determina cultura suprime. Isso porque a piada, por um breve momento, nos liberta das exigências da repressão impostas pela civilização. Os impulsos sexual e agressivo veem-se momentaneamente livres e capazes de alcançar seu objetivo, visto que as piadas facultam um ataque impiedoso aos inimigos, aos fracos, a quem não faz parte do grupo; permitem que a autoridade seja ridicularizada e os tabus sexuais sejam rompidos. Freud também trata de fenômenos cômicos correlatos, como a caricatura, a paródia e a imitação grotesca.

Ao mesmo tempo, Freud reconhece a natureza tênue das piadas: mudanças insignificantes nas palavras ou uma falha menor no ato de contá-las pode arruinar seu efeito. A boa piada é breve e sucinta, mas capaz de capturar a atenção do ouvinte em razão de sua ambiguidade. Freud identifica como técnicas decisivas da piada a conjunção de elementos dissonantes, o contraste de ideias e a presença do "sentido na falta de sentido". Embora não tenha feito muitas referências ao tema do humor após a publicação do livro sobre os chistes, em 1905, ele continuou colecionando piadas. Muito tempo depois, em 1927, publicou o artigo "Humor", em que tornava a voltar sua atenção para o chiste, discutindo o modo como ele articula tanto a rebelião quanto a resignação.

1   "Quando realmente rimos com gosto de uma piada, não estamos no estado mental mais adequado para investigarmos sua técnica."

2   "Dinheiro, para mim, é gás hilariante."

3   "Um médico se afasta do leito onde a mulher jaz doente. Abana a cabeça e diz ao marido: 'Não estou gostando do aspecto da sua mulher'. O marido responde rapidamente: 'Eu já não gosto do aspecto dela há muito tempo!'."

4   "O que para mim é uma piada para outra pessoa pode ser apenas uma história cômica."

5   "Uma nova piada tem efeito quase igual ao de um acontecimento de amplo interesse; é transmitida de pessoa para pessoa como a notícia da última vitória."

6   "As piadas que os não judeus fazem sobre judeus são, em sua maioria, narrativas brutais, nas quais (o esforço de fazer) uma boa piada é economizado pelo fato de que, para o não judeu, o judeu já é ele próprio uma figura cômica."

7   "Um judeu da Galícia está viajando de trem. Desabotoa o paletó, põe os pés sobre o banco e está muito à vontade. Então, um cavalheiro de roupa moderna entra no compartimento. O judeu imediatamente se recompõe e se senta de maneira discreta. O estranho vira as páginas de um caderninho, faz alguns cálculos, pensa um

pouco e de repente se volta para o judeu e pergunta: 'Com licença. Quando é o Yom Kippur?' (Dia da Expiação). 'Ai, ai, ai', diz o judeu, e recoloca os pés sobre o banco antes de responder."

"Um vendedor de cavalos recomenda uma montaria a um cliente: 'Se você montar este cavalo e sair às quatro da manhã, estará em Pressburg às seis e meia'. 'E o que eu iria fazer em Pressburg às seis e meia da manhã?'"  8

"Ou seja, a técnica das piadas de que tratamos até aqui consiste em introduzir algo de tolo, algo sem sentido, cujo sentido subjacente é a ilustração, a demonstração de outra coisa tola e sem sentido."  9

"Numa ocasião em que saiu a cavalo, o duque Carlos de Württemberg encontra, por acaso, um tintureiro ocupado em seu ofício. O duque lhe grita: 'Você consegue tingir meu cavalo de azul?' E o tintureiro responde: 'Claro, sua alteza, desde que ele aguente a fervura'."  10

"Um belo dia, quando Foquião foi aplaudido depois de fazer um discurso, ele se voltou para seus amigos e perguntou: 'Por acaso eu disse alguma bobagem?'"  11

O *Schadchen* (*casamenteiro judeu*) está defendendo a moça que sugeriu e respondendo às objeções do jovem que o consulta. 'Não gosto da sogra', diz o jovem. 'É uma pessoa maliciosa e não muito inteligente.' – 'Ora, você não está se casando com a sogra, mas  12 com a filha.' – 'Sim, mas ela já não é tão jovem e também não é muito bonita.' – 'Isso não importa. Se não é jovem e bonita, será ainda mais fiel a você.' – 'Também não tem muito dinheiro.' – 'E quem está falando de dinheiro? É com o dinheiro ou com a mulher que você vai se casar?' – 'Mas ela é corcunda!' – 'Ora, o que você quer? Ela não pode ter nem um defeitinho?'"

13 "Sobre uma pessoa ambiciosa, mas obstinada na busca de seus objetivos, um amigo disse: 'Ele tem um ideal na frente da cabeça' (*ou seja, não consegue ver nada exceto seu ideal*)."

14 "Quando uma piada não é um fim em si mesmo, ou seja, não é inócua, coloca-se a serviço de duas tendências somente, que podem, as duas, ser fundidas num único ponto de vista; ou é uma piada *hostil* (usada para agredir, satirizar, defender-se) ou é uma piada *obscena* (usada para desnudar outra pessoa)."

15 "Entre os camponeses ou em tavernas de classe baixa, observa-se que é somente quando chega a garçonete ou a dona do estabelecimento que começam as obscenidades. O oposto ocorre quando chegamos num nível social mais alto: a presença de uma mulher acaba com as obscenidades. Os homens reservam esse tipo de conversa – que originalmente pressupunha a presença de uma mulher envergonhada – para quando estão 'entre si'."

"Quanto maior a desproporção entre o que se afirma diretamente 16
na piada e o que ela necessariamente desperta no ouvinte, mais
sutil ela é e mais pode ter a pretensão de ser contada entre 'pessoas de bem'."

"Cada piada tem um público próprio, o fato de duas pessoas rirem 17
das mesmas piadas é sinal de extensa compatibilidade psíquica."

"A piada nos permite aproveitar e dar bom uso às características ri- 18
dículas do nosso inimigo, sobre as quais os obstáculos da civilidade
não nos deixariam falar em voz alta ou conscientemente [...]"

"Qualquer pessoa que deixe a verdade escapar dessa maneira, 19
num momento de desatenção, na verdade se sente aliviada por libertar-se do fingimento."

"Não ousamos dizer coisas sem sentido; mas a tendência caracte- 20
rística dos meninos de se dedicar a atividades absurdas e sem objetivo nenhum me parece ser produto direto do prazer que a falta
de sentido nos causa."

"Suponho que, quando estão contentes, a maioria das pessoas é 21
capaz de gracejar; a capacidade de fazer piadas independentemente do estado de espírito está presente somente nuns poucos."

22 "A palavra chistosa não está à disposição de todos e, em geral, somente uns poucos a dominam em grande medida; destacamos essas pessoas, dizendo que são 'espirituosas'."

23 "O que é um canibal que comeu seu pai e sua mãe? – Resposta: Órfão. – E quando ele comeu também seus outros parentes? – É o único herdeiro. – E onde um monstro como esse encontrará simpatia? – Sob a letra S do dicionário."

24 "O motivo por trás da produção de piadas inócuas é, muitas vezes, o impulso ambicioso de exibir a própria inteligência, de se mostrar, impulso esse que, no campo da sexualidade, deve ser equiparado ao exibicionismo."

25 "Quando me deparo com algo cômico, sou capaz de rir à solta mesmo estando sozinho – embora também me encante poder contá-lo a outra pessoa e fazê-la rir. Mas sou incapaz de rir sozinho de algo cômico que tenha ocorrido comigo, apesar do gozo inconfundível que isso me dá."

26 "Que eu saiba, a expressão na qual os cantos da boca se levantam num sorriso surge pela primeira vez no bebê satisfeito e farto, quando larga o peito e dorme. É, nesse caso, um movimento autenticamente expressivo, pois coincide com a decisão de não tomar mais alimento, como se representasse um 'basta'. Esse sentido original de satisfação prazerosa pode ter conferido ao sorriso – que, no fim das contas, ainda é a manifestação fundamental do riso – sua relação posterior com os processos prazerosos de liberação."

"O riso faz parte das expressões altamente infecciosas de estados psíquicos." 27

"Um cavalheiro entra numa confeitaria e pede um pedaço de bolo, mas logo o devolve e pede, em seu lugar, uma taça de licor. Bebe o licor e vai embora sem pagar. O confeiteiro o detém. 'O que você quer de mim?' – 'Que pague o licor.' – 'Mas eu lhe dei o bolo em troca.' – 'Também não pagou por ele.' – '*Mas eu não o comi.*'" 28

"Os mecanismos para se rir de alguém são: colocar a pessoa numa situação cômica, imitação, disfarce, desmascaramento, caricatura, paródia, paródia grotesca e assim por diante." 29

"Em primeiro lugar, podemos criar o cômico em nós mesmos para divertir as outras pessoas – fingindo sermos desajeitados ou estúpidos, por exemplo." 30

"Um instrutor de ginástica ou um mestre de dança raramente voltará sua atenção para o lado cômico do movimento de seus alunos, e a comédia da fraqueza humana escapa completamente à atenção do clérigo, muito embora o escritor de comédias seja capaz de detectá-la com tremendo efeito." 31

"Um famoso professor universitário, que tinha o hábito de apimentar com piadas sua insossa especialidade, é cumprimentado pelo nascimento de seu filho mais novo, que ele ganhou já em idade avançada. 'Sim', respondeu aos que lhe desejavam felicidades, 'é notável o que a mão humana pode fazer.'" 32

33  "As crianças nos parecem cômicas somente quando não se comportam como crianças, mas como adultos sérios, e então nos parecem cômicas do mesmo modo que outras figuras que se disfarçam [...] Por outro lado, as crianças não têm senso de comédia."

34  "No nosso caso, quando se desenvolve uma percepção clara da nossa própria superioridade, simplesmente sorrimos em vez de rir ou gargalhar [...]"

35  "Cômico é o que não é apropriado para adultos."

36  "O criminoso levado para ser executado numa segunda-feira exclama: 'Ora, que belo jeito de começar a semana!'"

37  "As piadas, a comédia e o humor têm em si algo de libertador; mas também têm algo de grandeza e elevação, que falta nas duas outras formas pelas quais derivamos prazer da atividade intelectual. A grandeza aí presente reside, de modo evidente, no triunfo do narcisismo, na asserção vitoriosa da invulnerabilidade do ego."

38  "O pouco humor que nós mesmos inventamos na vida é algo que, em regra, produzimos à custa de amolar os outros, não de sermos amolados."

39  "Além disso, nem todos são capazes da atitude humorística. Trata-se de um dom raro e precioso, e muitas pessoas não têm sequer a capacidade de gozar do prazer humorístico que lhes é apresentado."

"O universo do chiste não conhece limites."

"Um homem dado à bebida ganha a vida como preceptor de alunos numa cidade pequena; porém aos poucos seu vício se torna conhecido e ele perde a maioria dos alunos. Um amigo recebe a incumbência de motivá-lo a mudar de vida. 'Veja, você poderia obter os melhores cargos de preceptor na cidade se parasse de beber!' – 'Quem você pensa que é?', responde o outro, indignado. 'Trabalho como preceptor para poder beber. Acaso devo parar de beber para poder trabalhar?'"

"Quanta boa índole e quanto bom humor são necessários para suportar o terrível processo de envelhecimento!"

"Devo acrescentar que não tenho qualquer reverência pelo Todo-Poderoso. Se um dia nos encontrássemos, eu teria muito mais a repreender n'Ele do que Ele em mim."

## Fontes

1 *The Joke*, 2002, p. 41.
2 *Freud/Fliess*, 1985, p. 375, 21 de setembro de 1899.
3 *The Joke*, 2002, p. 30.
4 *The Joke*, 2002, p. 103.
5 *The Joke*, 2002, p. 9.
6 *The Joke*, 2002, p. 108 s.
7 *The Joke*, 2002, p. 69.
8 *The Joke*, 2002, p. 46.

9   *The Joke*, 2002, p. 50.
10  *The Joke*, 2002, p. 58.
11  *The Joke*, 2002, p. 50.
12  *The Joke*, 2002, p. 52.
13  *The Joke*, 2002, p. 66.
14  *The Joke*, 2002, p. 94.
15  *The Joke*, 2002, p. 96 s.
16  *The Joke*, 2002, p. 98.
17  *The Joke*, 2002, p. 147.
18  *The Joke*, 2002, p. 100.
19  *The Joke*, 2002, p. 103.
20  *The Joke*, 2002, p. 123.
21  *The Joke*, 2002, p. 174.
22  *The Joke*, 2002, p. 137.
23  *The Joke*, 2002, p. 155.
24  *The Joke*, 2002, p. 144.
25  *The Joke*, 2002, p. 140 s.
26  *The Joke*, 2002, p. 154.
27  *The Joke*, 2002, p. 151.
28  *The Joke*, 2002, p. 51.
29  *The Joke*, 2002, p. 185.
30  *The Joke*, 2002, p. 194.
31  *The Joke*, 2002, p. 214.
32  *The Joke*, 2002, p. 50.
33  *The Joke*, 2002, p. 217.
34  *The Joke*, 2002, p. 218.
35  *The Joke*, 2002, p. 222.
36  *The Joke*, 2002, p. 223.
37  *Humour*, 1961, p. 162.

38 *The Joke*, 2002, p. 225.
39 *Humour*, 1961, p. 166.
40 *Dreams*, 1961, p. 176.
41 *The Joke*, 2002, p. 44.
42 *Letters*, 1961, p. 425, 16 de maio de 1935, a Lou Andreas-Salomé.
43 *Letters*, 1961, p. 307 s., 8 de julho de 1915, a James J. Putnam.

# IX
# ETECETERA

*" Dificilmente o desejo de mudança se realiza quando se lamenta a sua satisfação."*

Além das ideias decorrentes de sua observação do inconsciente e dos sonhos e da análise que praticou em si mesmo e em seus pacientes, boa parte das declarações e comentários mais memoráveis de Sigmund Freud derivam de sua vida cotidiana, refletindo de modo particular sua estupenda compreensão da natureza humana e seu humor seco. Larga gama de temas é objeto desses comentários curtos ou longos, desde os efeitos do álcool até uma definição de felicidade em tom pessimista: "É preciso se supor feliz quando o destino não cumpre todas as suas ameaças simultaneamente". Embora as citações colhidas nos escritos que ele efetivamente publicou quase sempre reflitam uma orientação teórica e a busca de verdades universais, suas cartas são às vezes permeadas de uma ironia elegante, com a qual, em seus últimos anos, Freud chegou até a pôr em questão todas as suas realizações científicas. Na maturidade, Freud lamentou em várias ocasiões o fato de seu olhar não conseguir devassar o futuro. Acaso temia que sua obra – distorcendo o programa científico contestador que ele estabelecera citando a *Eneida* de Virgílio – só seria capaz de comover o mundo inferior, mas permanecesse incapaz de "fazer ceder as potências superiores"? Seja como for, seu lamento por não conseguir ver o futuro era nutrido pelo desejo de ver confirmado pelas futuras pesquisas e desenvolvimentos tecnológicos o território científico por ele desbravado. As profundas comoções sociais e tecnológicas que Freud testemunhou ao longo de sua vida levaram-no a tratar da questão do progresso e da concomitante aceleração da vida, a pressa e a inquietude da modernidade: "A imensa extensão das comunicações efetuada pela rede de telégrafos e telefones que dá a volta ao mundo alterou completamente as condições do comércio. Tudo é pressa e agitação; aproveita-se a noite para viajar, o dia para trabalhar, e até as 'viagens de férias' tornaram-se causas de tensão para o sistema nervoso". Uma combinação de fascínio e irritação reverbera em muitas declarações de Freud sobre esse assunto.

O progresso tecnológico e a intensificação das exigências impostas ao ser humano em todos os aspectos do trabalho e da vida propõem desafios que – nas palavras de Freud – o indivíduo só consegue encarar "pondo em ação toda a sua força mental". Ele acompanhou com grande interesse a transformação da vida urbana ocorrida em Viena, antiga capital do Império Austro-Húngaro, a qual viu-se em busca de uma nova identidade após a queda da monarquia. A cidade histórica não estava imune à pressa e à superficialidade que Freud percebia na vida moderna; assim, ele começou a se sentir cada vez mais como um peixe fora d'água. A esse sentimento vinha se somar sua decepção diante da adesão de seus contemporâneos a modalidades aparentemente obsoletas de pensamento e compreensão: "De todas as crenças errôneas e supersticiosas da humanidade que supostamente foram superadas, não há nenhuma cujos resíduos não sobrevivam entre nós hoje nas camadas inferiores dos povos civilizados ou mesmo na camada mais alta da sociedade cultural. O que uma vez ganhou vida agarra-se tenazmente à existência. Temos a tendência de duvidar, às vezes, de que os dragões das eras primordiais estejam mesmo extintos".

Hoje em dia, vários termos que Freud cunhou no quadro de sua teoria psicanalítica há muito foram absorvidos pela linguagem cotidiana. Ao tratar de conceitos conhecidos, como os de ego, superego e id, ele fazia referência não somente à sua prática psicanalítica, mas também – na qualidade de médico formado e neurologista – às relações somáticas: "O outro agente dentro da mente, que acreditamos conhecer melhor e no qual reconhecemo-nos com mais facilidade – aquilo que se chama ego –, desenvolveu-se a partir da camada cortical do id, que, por meio de sua adaptação à recepção e exclusão de estímulos, está em contato direto com o mundo exterior (a realidade)".

Freud não procurou ocultar a natureza especulativa e às vezes fragmentária de suas teorias. Embora boa parte do que descobriu em suas pesquisas – as teses relativas à sua teoria dos impulsos, por exemplo – pudesse ser confirmada de maneira teórica, nem sempre produzia resultados positivos em sua aplicação terapêutica. Rumo ao fim de sua existência, muitas declarações de Freud vêm carregadas de resignação: "As paixões derivadas dos impulsos são mais fortes que os interesses da razão". A piora da situação política deu um tom sombrio ao reconhecimento tardio da obra da sua vida, como revela uma carta a Arnold Zweig datada de 31 de maio de 1936, em que Freud comenta a comemoração de seu octogésimo aniversário: "Até os colegas vienenses me cumprimentaram e revelaram, por meio de sinais de toda espécie, quanto isso lhes foi difícil. O ministro da Educação enviou uma nota formal de parabéns, mas os jornais foram proibidos, sob pena de confisco, de publicar dentro do país esse ato de simpatia. Os jornais austríacos e do estrangeiro publicaram vários artigos manifestando ódio e repúdio".

1   "Dificilmente o desejo de mudança se realiza quando se lamenta a sua satisfação."

2   "Ainda me surpreende quão pouco nós, seres humanos, somos capazes de antever o futuro."

3   "A alteração do nosso estado de espírito é a coisa mais valiosa que o álcool fez em prol da humanidade, e é por isso que esse 'veneno' não é igualmente indispensável para todos."

4   "Sob a influência do álcool, o adulto se torna novamente criança e encontra prazer no ato de ter o curso de seus pensamentos à sua livre disposição, sem ter de observar a compulsão da lógica."

5   "As realizações extraordinárias dos tempos modernos, as descobertas e invenções em todas as esferas, a manutenção do progresso em face de uma competição cada vez maior — essas coisas só foram conquistadas, e só podem ser conservadas, à custa de um imenso esforço mental."

6   "A imensa extensão das comunicações efetuada pela rede de telégrafos e telefones que dá a volta ao mundo alterou completamente as condições do comércio. Tudo é pressa e agitação; aproveita-se a noite para viajar, o dia para trabalhar, e até as 'viagens de férias' tornaram-se causas de tensão para o sistema nervoso."

7   "A vida na cidade se torna constantemente mais sofisticada e mais inquieta."

"As exigências impostas à eficiência do indivíduo em sua luta pela existência aumentaram enormemente, e é somente pondo em ação toda a sua força mental que ele consegue atendê-las." 8

"A condição ideal [...] seria um grupo de pessoas que sujeitaram seus impulsos à tirania da razão." 9

"A sensação de felicidade resultante da satisfação de um impulso instintivo selvagem que não foi domado pelo ego é incomparavelmente mais intensa que a ocasionada pela satisfação de um impulso domado. Temos aqui uma explicação econômica para a irresistibilidade dos impulsos perversos, talvez para a atração por tudo o que é proibido." 10

"Nada protege a virtude com tanta segurança quanto uma doença." 11

"Vem-nos à mente uma imagem desagradável: moinhos que moem tão lentamente que as pessoas talvez morram de fome antes de receber sua farinha." 12

"Ah, a vida poderia ser muito interessante se a conhecêssemos e compreendêssemos melhor." 13

"Se a energia que sinto dentro de mim permanecer comigo, talvez possamos ainda deixar alguns rastros da nossa complicada existência." 14

15 "Sou um dos maiores filantropos de Viena! A cada ano, pago 1500 *gulden* aos pobres. Sou também um dos judeus mais piedosos: é somente na Páscoa que os piedosos preparam uma cadeira e uma taça para Elihanovi, que nunca chega; eu preparei para ele uma sala inteira. Para quem mais, afinal de contas, serve minha sala de espera?"

16 "Enquanto estava na outra sala, ouvi uma criança com medo do escuro falar: 'Fale comigo, titia! Estou com medo!' – 'De que adiantaria isso? Você não me vê.' A isto, a criança respondeu: 'Quando alguém fala, fica mais claro'. Assim, a solidão sentida no escuro se transforma em medo do escuro."

17 "As fantasias das pessoas são menos fáceis de observar que as brincadeiras das crianças."

18 "Em geral, conter a agressividade faz mal à saúde e leva à doença (à mortificação). A pessoa num acesso de raiva muitas vezes demonstra de que modo se realiza a transição da agressividade contida para a autodestruição, voltando sua agressividade contra si mesma: arranca os cabelos ou bate no rosto com os punhos, muito embora seja evidente que preferiria aplicar esse tratamento a outrem."

19 "Contra toda a evidência dos sentidos, a pessoa que ama afirma que 'eu' e 'tu' somos um e está disposta a se comportar como se assim fosse."

"Uma piada não tem graça na segunda vez em que é ouvida; uma peça de teatro nunca tornará a fazer a mesma impressão que fez na primeira vez em que foi vista; com efeito, seria difícil levar um adulto a reler um livro de que gostou bastante, senão depois de um tempo considerável. A novidade sempre será uma precondição do gozo. A criança, no entanto, nunca se cansará de exigir dos adultos que repitam uma brincadeira que lhes mostraram ou na qual brincaram junto com eles, até que, por puro e simples cansaço, eles se recusem a fazê-lo mais uma vez. E quando alguém lhe conta uma história interessante, ela quer ouvir a mesma história inúmeras vezes, preferindo-a a uma história nova; implacável, insiste em que cada repetição seja exatamente igual e corrige as mínimas mudanças que quem conta a história inadvertidamente introduz, imaginando talvez, com carinho, que isso lhe valerá pontos extras." 20

"As paixões derivadas dos impulsos são mais fortes que os interesses da razão." 21

"Uma água-forte que Schmutzer (*um retratista vienense*) fez para o aniversário me parece excelente. Para outros, a expressão está severa demais, quase irada. No interior, provavelmente é assim que sou." 22

"A noção de sujeitar as mulheres à luta pela existência da mesma maneira que os homens parece completamente irrealista." 23

24 "Precisamos ligar nossa vida a dos outros de tal modo, precisamos ser capazes de nos identificar com os outros de maneira tão íntima, que sejamos capazes de superar os limites do nosso próprio tempo de vida; e não podemos atender a nossas próprias necessidades de modo ilegítimo, mas precisamos deixá-las insatisfeitas, pois somente a existência contínua de tantas exigências insatisfeitas será capaz de desenvolver o poder de mudar a ordem social."

25 "É preciso se supor feliz quando o destino não cumpre todas as suas ameaças simultaneamente."

## Fontes

1 *Letters*, 1961, p. 334 s., 4 de agosto de 1921, a Oscar Rie.
2 *Letters*, 1961, p. 457, 7 de março de 1939, a Ernest Jones.
3 *The Joke*, 2002, p. 124.
4 *The Joke*, 2002, p. 124.
5 *Sexual Morality*, 1961, p. 183.
6 *Sexual Morality*, 1961, p. 183.
7 *Sexual Morality*, 1961, p. 183.
8 *Sexual Morality*, 1961, p. 183.
9 *Why War?*, 2005, p. 230.
10 *Civilization*, 2004, p. 20.
11 *Sexual Morality*, 1961, p. 195.
12 *Why War?*, 2005, p. 230.
13 *Letters*, 1961, p. 40, 8 de maio de 1932, a Arnold Zweig.
14 *Letters*, 1961, p. 158, 26 de junho de 1885, a Martha Bernays.
15 *Freud/Minna Bernays*, 2005, p. 172, 24 de outubro de 1886.

16 *Introductory Lectures*, 1961, p. 407.
17 *Creative Writers*, 1961, p. 145.
18 *An Outline of Psycho-Analysis*, 1961, p. 150.
19 *Civilization*, 2004, p. 3.
20 *Pleasure Principle*, 2003, p. 75 s.
21 *Civilization*, 2004, p. 61.
22 *Letters*, 1961, p. 369, 10 de maio de 1926, a Marie Bonaparte.
23 *Letters*, 1961, p. 76, 15 de novembro de 1883, a Martha Bernays.
24 *The Joke*, 2002, p. 107.
25 *Freud/Fliess*, 1985, p. 440, 24 de março de 1901.

# X
# CULTOS RELIGIOSOS E RELIGIÃO

*"*Há muito que ele (*o homem*) formou uma concepção ideal da onipotência e da onisciência, que incorporou a seus deuses, atribuindo-lhes o que quer que parecesse estar além do alcance de seus desejos – ou o que quer lhe fosse proibido. Podemos afirmar, assim, que esses deuses eram ideais culturais.*"*

Durante toda a sua vida, Freud voltou-se repetidamente para a investigação crítica dos cultos religiosos e da religião. Antes de tudo, procurava reduzir a religião a um sistema de doutrinas e promessas. Segundo Freud, a pretensão da religião de oferecer uma explicação completa dos mistérios do nosso mundo corresponde a uma sensação infantil de impotência e a um anseio pelo pai que as pessoas religiosas desenvolvem para compensar tal sensação. Além disso, Freud reconheceu o sentimento de culpa, tanto individual quanto coletivo, como um componente importante na gênese da religião. Prometendo a libertação em relação ao sentimento de culpa, a religião, por meio do conceito de pecado, eleva a culpa ao grau de categoria religiosa e moral.

Aqui, Freud está pensando não somente na teologia cristã da redenção, mas também no judaísmo e na Antiga Aliança: "O povo de Israel se considerava o filho predileto de Deus, e, quando o grande Pai deixou que infortúnio após infortúnio se abatesse sobre Seu povo, este nunca duvidou de sua relação com Deus nem questionou Seu poder e Sua justiça, mas, pelo contrário, produziu os profetas, que o repreenderam por seus pecados; e criou, a partir da consciência de sua culpa, os preceitos extremamente rigorosos da religião sacerdotal". Freud vê a religião, antes de tudo, como uma neurose obsessiva e uma fantasia de desejo. Consequentemente, considera a questão do objetivo da vida humana, instrumentalizada pelas várias religiões, como um empreendimento com pouca chance de sucesso: "Parece que temos o direito de descartar essa questão", escreve em 1930 no livro *O mal-estar na civilização*. Todo ser humano deve encontrar seu próprio caminho, descobrindo e realizando seus próprios objetivos na vida. O teor da crítica de Freud à religião é, antes de tudo, que ela obriga todos a seguirem o mesmo caminho e não é capaz de cumprir o que promete.

Uma das promessas que ela não cumpre é a crença na vida após a morte, que Freud vê como produto da memória dos mortos, que a religião transforma numa "existência póstuma mais desejável e mais verdadeiramente válida" que esta. Da experiência dolorosa da morte de um ente querido, Freud deriva não somente "a teoria das almas, a crença na imortalidade e uma poderosa raiz do sentimento humano de culpa, mas também os primeiros mandamentos éticos. A primeira e mais significativa proibição da consciência, em seu despertar, foi: *Não matarás*".

Nesse contexto, Freud também critica o ideal do altruísmo cristão em sua incisiva formulação neotestamentária: "Amarás teu próximo como a ti mesmo". Além de observar que esse mandamento é anterior ao cristianismo, Freud chama a atenção para o fato de que os seres humanos, em razão da limitação de seus recursos, são incapazes de incluir todas as outras pessoas em sua esfera de amor. Nosso amor por nossos amigos verdadeiros seria depreciado caso tivesse de ser generalizado para incluir todos os outros seres humanos. Assim, Freud gostaria de substituir esse mandamento por outro: "Ama teu próximo como teu próximo te ama".

O contato de Freud com a religião se deu primariamente por meio do judaísmo. Considerava-se judeu, embora não fizesse segredo de seu ateísmo. Essa ambivalência é capturada em duas citações apresentadas aqui. Numa carta a Charles Singer, de outubro de 1938, Freud observa: "Nem em minha vida privada nem em meus escritos jamais ocultei o fato de ser um completo descrente". Não obstante, numa declaração reveladora feita em seu "Estudo autobiográfico" de 1925, ele confessou: "Meu profundo envolvimento com a narrativa da Bíblia (quase no mesmo momento em que aprendi a arte de ler) teve, como mais tarde reconheci, em efeito duradouro sobre a direção dos meus interesses". Em sua última obra, *Moisés e o monoteísmo*, publicada em 1939, Freud pôs seu ateísmo entre parênteses para manifestar sua aprovação do judaísmo, o qual, por meio de seus mandamentos rigorosos que exigem a renúncia aos impulsos e seu Deus "desmaterializado", havia alcançado um "triunfo da intelectualidade sobre a sensualidade". Muitas de suas obras anteriores também tratam de temas bíblicos – quando, por exemplo, ele cita a "Queda" ao contrastar os impulsos e o intelecto, usando esse conceito para derivar suas ideias a respeito da tensão latente entre a consciência e a animalidade, ou entre o conhecimento e a vergonha.

No conjunto, os escritos de Freud manifestam uma atitude ambivalente em relação à religião. Apesar de sua tendência ateia, ele admitia que a religião desempenhava um papel importante na renúncia aos impulsos, sendo esta a condição para o desenvolvimento de um grau mais elevado de intelectualidade. Vê a consciência, por exemplo, como um produto da renúncia aos impulsos. Em muitas declarações, Freud demonstra uma compreensão considerável da busca humana por alívio e consolo diante dos inevitáveis pesares da vida. Assim, seu argumento central contra a religião não tem por alvo seu catálogo de proibições contra a satisfação das necessidades impostas pelo instinto, mas a moralização excessiva e os impedimentos que a religião ergue contra o livre pensamento.

1   "Há muito que ele (*o homem*) formou uma concepção ideal da onipotência e da onisciência, que incorporou a seus deuses, atribuindo-lhes o que quer que parecesse estar além do alcance de seus desejos – ou o que quer lhe fosse proibido. Podemos afirmar, assim, que esses deuses eram ideais culturais."

2   "Para mim, a derivação das necessidades religiosas a partir da impotência da criança e de seu anseio pelo pai parece irrefutável, especialmente pelo fato de esse sentimento não somente se prolongar desde a época da infância, como também ser continuamente sustentado pelo temor da supremacia do destino."

3   "Cada qual deve descobrir por si mesmo como alcançar a salvação."

4   "Sentimo-nos inclinados a dizer que a intenção de que o Homem seja 'feliz' não faz parte do plano da 'criação'."

5   "Se o crente vê-se finalmente obrigado a falar dos 'decretos inescrutáveis' de Deus, admite que tudo que lhe resta, como último consolo e fonte de prazer em meio ao sofrimento, é a submissão incondicional. E se está preparado a aceitar isso, provavelmente não precisaria ter feito um desvio tão grande para chegar lá."

6   "A questão do propósito da vida humana já foi proposta inúmeras vezes; não recebeu resposta satisfatória e tal resposta talvez não exista. Alguns dos que a propuseram acrescentaram que, se a

vida não tivesse propósito algum, perderia para eles todo o valor. Essa ameaça, porém, não muda nada. Antes, parece que temos o direito de descartar essa questão."

"Dificilmente será errado concluir que a noção de que a vida tem um propósito depende completamente, para sua validade, do sistema religioso." 7

"Enquanto as coisas vão bem para uma pessoa, sua consciência não o acusa e, pelo contrário, faz ao ego elogios de todo tipo. Quando a pessoa é atingida por um infortúnio, ela se examina interiormente, reconhece seus pecados, atribui alta importância às exigências da consciência, impõe-se privações e se pune por atos de penitência." 8

"O eremita dá as costas ao mundo e se recusa a manter qualquer relação com ele. Mas pode-se fazer mais do que isso: pode-se tentar recriar o mundo, construir em seu lugar outro mundo em que as características mais intoleráveis deste sejam eliminadas e substituídas por outras que estejam de acordo com nossos desejos." 9

"Pelo menos as religiões nunca ignoraram o papel que o sentimento de culpa desempenha na civilização. [...] Pretendem redimir a humanidade desse sentimento de culpa, ao qual dão o nome de pecado. Do modo pelo qual essa redenção é alcançada no cristianismo – por meio da morte sacrificial de um homem, 10 que assim toma sobre si a culpa partilhada por todos – derivamos uma inferência quanto a qual teria sido a ocasião original em que adquirimos essa culpa primordial, que também assinalou o início da civilização."

11  "A consciência resulta da renúncia aos impulsos, ou essa renúncia (imposta a nós desde fora) cria a consciência, que então exige novas renúncias."

12  "Não podemos fugir ao pressuposto de que o sentimento de culpa nasce do complexo de Édipo e foi adquirido quando os irmãos se juntaram e mataram o pai."

13  "Nós, seres humanos, estamos arraigados em nossa natureza animal e jamais poderíamos nos tornar divinos. A Terra é um planeta pequeno, inadequado para ser um 'céu'."

14  "É aí que entra em cena a ética baseada na religião, com suas promessas de uma vida melhor após a morte. Tendo a pensar que, enquanto a virtude não for recompensada aqui embaixo, a ética pregará em vão."

15  "O juízo de consciência que declara que o ego fica aquém de seu ideal produz o senso religioso de humildade, ao qual o crente apela em seu anseio."

"Mas até a moral normal e comum tem uma qualidade rigorosa- 16
mente restritiva e cruelmente proibitiva. É disso, com efeito, que
surge a concepção de um ser superior que distribui seus castigos
de modo inexorável."

"[...] Nossa consciência não é o juiz inflexível que os especia- 17
listas em ética afirmam ser; por sua origem, é 'ansiedade social'
e nada mais. Quando a comunidade para de acusar, a supressão
dos maus desejos também é abolida e as pessoas cometem atos de
crueldade, perfídia, traição e barbárie, cuja possibilidade conside-
rariam inconciliável com seu nível de civilização."

"Por fim, de que nos vale uma vida longa se for dura, sem ale- 18
grias e tão cheia de sofrimento que só nos resta esperar que a
morte nos liberte?"

"Fundamentalmente, ninguém acredita na própria morte, ou, o 19
que dá no mesmo: no inconsciente, cada um de nós está convicto
da própria imortalidade."

"A lembrança constante do morto se tornou o fundamento da 20
hipótese de outras formas de vida e gerou, pela primeira vez, a
ideia de uma continuidade da vida após a morte aparente. No começo, essa existência póstuma era mero suplemento da que termi-
nara com a morte: uma existência sombria, sem conteúdo e pouco

estimada. [...] Foi só depois que as religiões passaram a representar essa existência póstuma como mais desejável e mais verdadeiramente válida, e a reduzir a mera preparação a vida à qual a morte põe fim."

21 "O que veio à existência ao lado do cadáver de um ente querido foram não somente a teoria das almas, a crença na imortalidade e uma poderosa raiz do sentimento humano de culpa, mas também os primeiros mandamentos éticos. A primeira e mais significativa proibição da consciência, em seu despertar, foi: *Não matarás*."

22 "Se o filho de Deus teve de sacrificar sua vida para libertar a humanidade do pecado original, então, de acordo com a lei de talião — a paga de um mal com um mal idêntico —, tal pecado necessariamente foi uma morte, um assassinato. Só isso poderia exigir como expiação o sacrifício de uma vida. E, se o pecado original foi uma ofensa contra Deus enquanto pai, o crime mais antigo da humanidade deve ter sido um parricídio, o assassinato do pai primordial da horda humana primitiva, cuja imagem lembrada foi depois transfigurada numa deidade."

23 "Depois que São Paulo fez da fraternidade universal o fundamento de sua comunidade cristã, a consequência inevitável foi a extrema intolerância do cristianismo para com os que ficaram fora dele."

"Tenho poucas razões para mudar meu juízo sobre a natureza humana, sobretudo em sua variante cristã-ariana." 24

"E aqui gostaria de acrescentar que não creio que nossas curas 25 possam competir com as de Lourdes. O número de pessoas que acreditam nos Milagres da Santíssima Virgem é muito maior que o das que acreditam na existência do inconsciente."

"O Diabo seria a melhor desculpa para Deus; assumiria, nesse 26 contexto, o mesmo papel exculpatório que o judeu assumiu no mundo do ideal ariano. Mas, mesmo assim, pode-se exigir que Deus seja considerado responsável pela existência do Diabo e do mal que ele incorpora."

"O povo de Israel se considerava o filho predileto de Deus, e, 27 quando o grande Pai deixou que infortúnio após infortúnio se abatesse sobre Seu povo, este nunca duvidou de sua relação com Deus nem questionou Seu poder e Sua justiça, mas, pelo contrário, produziu os profetas, que o repreenderam por seus pecados; e criou, a partir da consciência de sua culpa, os preceitos extremamente rigorosos da religião sacerdotal."

"Nasci em 6 de maio de 1856 em Freiberg, na Morávia, pequena 28 cidade da atual Checoslováquia. Meus pais eram judeus e eu mesmo continuei sendo judeu."

29 "Talvez eu tivesse dez ou doze anos quando meu pai começou a me levar consigo em suas caminhadas e a revelar, em sua conversa, seus pontos de vista sobre as coisas do mundo em que vivemos. Foi assim que, numa ocasião, ele contou uma história para mostrar como a situação de então era melhor do que a de uma época anterior. 'Quando eu era jovem', disse, 'num sábado fui caminhar pelas ruas da cidade onde você nasceu; estava bem-vestido e levava na cabeça um chapéu de pele. Um cristão se aproximou e, com um único golpe, jogou meu chapéu na lama, gritando: "Judeu, saia da calçada!"' – 'E o que você fez?', perguntei. – 'Fui para a rua e recolhi meu chapéu', respondeu ele, tranquilo. Pareceu-me um exemplo de conduta pouco heroica por parte do homem grande e forte que segurava o menininho pela mão."

30 "O que me ligou ao judaísmo não foi – admito – nem a fé nem o orgulho nacional, pois, criado sem religião, sempre fui descrente; mas não fui criado sem o respeito pelas chamadas exigências 'éticas' da civilização humana."

31 "Diante das renovadas perseguições, nos perguntamos como o judeu chegou a ser o que é e por que atraiu sobre si esse ódio que não morre."

32 "Talvez não seja totalmente por acaso que o primeiro proponente da psicanálise tenha sido um judeu. Para professar a crença nessa nova teoria, era preciso ter certa disposição para aceitar uma situação de oposição solitária – situação com a qual ninguém está mais familiarizado que um judeu."

"Se é prerrogativa do Senhor que os milênios passem para ele 33 como o piscar de um olho, nós, humanos, chafurdamos no oposto disso: para nós, alguns dias parecem milênios. É uma situação dos diabos: o tormento encomprida o tempo e a alegria o encurta."

"A proibição ao pensamento, decretada pela religião para auxi- 34 liá-la em sua autopreservação, também está longe de não ser coisa perigosa, quer para o indivíduo, quer para a sociedade humana."

(*Quando da morte da filha Sophie*) 35
"Há anos venho me preparando para a morte de um filho, e agora ela se abateu sobre minha filha. Como sou, lá no fundo, um descrente, não tenho ninguém a quem culpar, e sei que não há ninguém a quem eu possa assediar com meu sofrimento."

"Nem em minha vida privada nem em meus escritos jamais ocul- 36 tei o fato de ser um completo descrente."

"É, certamente, tolice querer banir do mundo o sofrimento e a 37 morte [...] e não é para isso que nos livramos de nosso querido Senhor Deus, somente para tirar essas duas coisas de nós e nossos entes queridos e despejá-las sobre estranhos."

# FONTES

1 *Civilization*, 2004, p. 36.
2 *Civilization*, 2004, p. 11.
3 *Civilization*, 2004, p. 26.
4 *Civilization*, 2004, p. 16.
5 *Civilization*, 2004, p. 28.
6 *Civilization*, 2004, p. 15.
7 *Civilization*, 2004, p. 16.
8 *Civilization*, 2004, p. 80.
9 *Civilization*, 2004, p. 28.
10 *Civilization*, 2004, p. 93.
11 *Civilization*, 2004, p. 83.
12 *Civilization*, 2004, p. 86.
13 *Letters*, 1961, p. 384, 9 de dezembro de 1928, a Richard Dyer-Bennett.
14 *Civilization*, 2004, p. 103 s.
15 *The Ego and the Id*, 1961, p. 37.
16 *The Ego and the Id*, 1961, p. 54.
17 *War and Death*, 2005, p. 174.
18 *Civilization*, 2004, p. 32.
19 *War and Death*, 2005, p. 183.
20 *War and Death*, 2005, p. 188 s.
21 *War and Death*, 2005, p. 189.
22 *War and Death*, 2005, p. 187.
23 *Civilization*, 2004, p. 65.
24 *Letters*, 1961, p. 418, 28 de maio de 1933, a Oscar Pfister.
25 *New Introductory Lectures*, 1961, p. 152.
26 *Civilization*, 2004, p. 72.
27 *Civilization*, 2004, p. 81.
28 *An Autobiographical Study*, 1961, p. 7.

29 *Dreams*, 1961, p. 197.
30 *Letters*, 1961, p. 366, 6 de maio de 1926, aos membros da Loja B'nai B'rith.
31 *Letters*, 1961, p. 421, 30 de setembro de 1934, a Arnold Zweig.
32 *Resistances*, 1961, p. 222.
33 *Freud/Minna Bernays*, 2005, p. 85, 23 de agosto de 1883.
34 *New Introductory Lectures*, 1961, p. 171.
35 *Briefe*, 1968, p. 346, 19 de abril de 1920, a Sandor Ferenczi.
36 *Letters*, 1961, p. 453, 31 de outubro de 1938, a Charles Singer.
37 *Freud/Fliess*, 1985, p. 442 s., 9 de junho de 1901.

# Apêndice

## Sigmund Freud — linha do tempo

1856 Sigismund Schlomo Freud nasce a 6 de maio em Freiberg, na Morávia (atual Příbor, na República Tcheca).

1860 A família Freud se muda para Viena.

1873 Sigismund Freud termina o curso ginasial e entra na Universidade de Viena.

1881 Sigismund se qualifica para exercer a medicina.

1882-1883 Freud se emprega como médico na clínica psiquiátrica de Theodor Meynert.

1884-1885 Estuda os efeitos medicinais da coca.

1885-1886 Bolsa de estudo de cinco meses no Hospital Salpêtrière, em Paris, sob a direção de Jean-Martin Charcot, que desperta o interesse de Freud pelo uso terapêutico da hipnose.

1886 Casamento com Martha Bernays. Os seis filhos da família (Mathilde, Martin, Oliver, Ernst, Sophie e Anna) nascem entre 1887 e 1895. Freud abre um consultório médico.

1891 Muda-se para a Rua Berggasse, 19.

1895 Com Joseph Breuer, Freud publica *Estudos sobre a histeria*. No mesmo ano, consegue pela primeira vez interpretar um de seus próprios sonhos.

1896 Freud usa pela primeira vez o termo "psicanálise".

1897 Freud começa sua autoanálise.

1899 São entregues os primeiros exemplares de *A interpretação dos sonhos*, pós-datados de 1900.

1901 Freud começa a análise de "Dora", de 18 anos.

1902 Sigmund Freud é nomeado professor na Universidade de Viena. Fundação da Sociedade Psicológica de Quarta-Feira.

1905 Publicação de *Três ensaios sobre a teoria da sexualidade*, *O chiste e sua relação com o inconsciente* e "Fragmento de análise de um caso de histeria" ("Dora").

1906 C. G. Jung começa a corresponder-se com Freud.

1907 Publicação de "Delírios e sonhos na Gradiva de Jensen" e "Escritores criativos e o devaneio".

1908 O Primeiro Congresso de "Psicologia Freudiana" é realizado em Salzburgo. Publicação de "A moral sexual 'civilizada' e a doença nervosa moderna".

1910 Fundação da Associação Psicanalítica Internacional.

1911 Alfred Adler deixa a Sociedade Psicanalítica de Viena.

1912 Fundação da revista psicanalítica *Imago*.

1913    Rompimento com C. G. Jung. Publicação de *Totem e tabu*.

1914    Publicação da polêmica "História do movimento psicanalítico" e de "O Moisés de Michelangelo".

1915    Freud escreve "Reflexões oportunas sobre a guerra e a morte" cerca de seis meses depois do início da Primeira Guerra Mundial.

1916    Publicação da primeira parte das *Conferências introdutórias sobre psicanálise*.

1918    Freud começa a analisar sua filha Anna.

1919    Fundação da Imprensa Psicanalítica Internacional em Viena.

1920    Sophie, filha de Freud, morre em Hamburgo durante a epidemia de gripe espanhola. Fundação do *International Journal of Psycho-Analysis*, publicado em inglês. Publicação de *Além do princípio de prazer*.

1921    Publicação de *Psicologia de grupo e a análise do ego*.

1923    Detectam-se os primeiros sinais do câncer de boca em Freud. Publicação de *O ego e o id*.

1925    Publicação de "Um estudo autobiográfico".

1926    A acusação de charlatanismo dirigida contra um jovem analista inspira Freud a escrever *A questão da análise leiga*.

1927    Freud publica *O futuro de uma ilusão*, um ataque psicanalítico à religião.

1930    Publicação de *O mal-estar na civilização*.

1933    Freud se corresponde com Einstein em torno da questão "Por que a guerra?". Publicação de *Novas conferências introdutórias sobre a psicanálise*.

1935    Freud é eleito Membro Honorário da Real Sociedade Britânica de Medicina.

1938    O apartamento de Freud é revistado pela Gestapo. Anna Freud é detida por um dia e interrogada. É decretado o fechamento de todas as instituições psicanalíticas. Sigmund Freud emigra com sua família para Londres.

1939    Sigmund Freud morre a 23 de setembro em Londres. Publicação de *Moisés e o monoteísmo*.

# Bibliografia

## Obras

Bibliografia em inglês usada como fonte das citações traduzidas no livro:

SIGMUND FREUD, *The Standard Edition of the Complete Psychological Works of Sigmund Freud*, organização e tradução para o inglês de James Strachey, Hogarth Press, Londres, 1961. Reimpressa com permissão do The Random House Group Ltd.

*Studies on Hysteria*, com Josef Breuer (1895), vol. II. [Estudos sobre a histeria]

*The Interpretation of Dreams* (1900), vols. IV/V. [A interpretação dos sonhos]

*Jokes and Their Relation to the Unconscious* (1905), vol. VIII. [O chiste e sua relação com o inconsciente]

"'Civilized' Sexual Morality and Modern Nervous Illness" (1908), vol. IX. [A moral sexual "civilizada" e a doença nervosa moderna]

"Creative Writers and Day-Dreaming" (1908), vol. IX. [Escritores criativos e o devaneio]

"Leonardo da Vinci and a Memory of his Childhood" (1910), vol. XI. [Leonardo da Vinci e uma memória de sua infância]

"On the History of the Psycho-Analytic Movement" (1914), vol. XIV. [Sobre a história do movimento psicanalítico]

*Introductory Lectures on Psycho-Analysis* (1915–17), vols. XV/XVI. [Conferências introdutórias sobre a psicanálise]

*The Ego and the Id* (1923), vol. XIX. [O ego e o id]

"An Autobiographical Study" (1925), vol. XX. [Um estudo autobiográfico]

"The Resistances to Psycho-Analysis" (1925), vol. XIX. [As resistências à psicanálise]

*Inhibitions, Symptoms and Anxiety* (1926), vol. XX. [Inibições, sintomas e ansiedade]

*The Question of Lay Analysis* (1926), vol. XX. [A questão da análise leiga]

"Humour" (1927), vol. XXI. [Humor]

*Civilization and Its Discontents* (1930), vol. XXI. [O mal-estar na civilização]

*New Introductory Lectures on Psycho-Analysis* (1933–36), vol. XXII. [Novas conferências introdutórias à psicanálise]

"Analysis Terminable and Interminable" (1937), vol. XXIII. [Análise terminável e interminável]

"Constructions in Analysis" (1937), vol. XXIII. [Construções em análise]

*An Outline of Psycho-Analysis* (1940), vol. XXIII. [Esboço de psicanálise]

SIGMUND FREUD, *The Joke and Its Relation to the Unconscious* (1905), tradução para o inglês de Joyce Crick, Penguin Books, Londres, 2002. [O chiste e sua relação com o inconsciente]

_____, *Beyond the Pleasure Principle* (1920), em Sigmund Freud, *Beyond the Pleasure Principle and Other Writings*, tradução para o inglês de John Reddick, Penguin Books, Londres, 2003. [Além do princípio de prazer]

_____, *Civilization and Its Discontents* (1930), tradução para o inglês de David McLintock, Penguin Books, Londres, 2004. [O mal-estar na civilização]

_____, "Timely Reflections on War and Death" (1915), em Sigmund Freud, *On Murder, Mourning and Melancholia*, tradução para o inglês de Shaun Whiteside, Penguin Books, Londres, 2005. [Reflexões oportunas sobre a guerra e a morte]

_____, "Why War?" (1933), em Sigmund Freud, *On Murder, Mourning and Melancholia*, tradução para o inglês de Shaun Whiteside, Penguin Books, Londres, 2005. [Por que a guerra?]

## Cartas

ERNST L. FREUD (org.), *The Letters of Sigmund Freud*, tradução para o inglês de Tania e James Stern, Basic Books, Nova York, 1961.

ERNST & LUCIE FREUD (org.), *Sigmund Freud, Briefe 1873–1939*, segunda edição ampliada, Fischer Verlag, Frankfurt, 1968.

ERNST L. FREUD (org.), *The Letters of Sigmund Freud and Arnold Zweig*, tradução para o inglês de Prof. e Sra. W. D. Robson-Scott, Hogarth Press, Londres, 1970.

JEFFREY MOUSSAIEFF MASSON (org. e trad. ingl.), *The Complete Letters of Sigmund Freud to Wilhelm Fliess*, Harvard University Press, Cambridge, Mass., 1985.

WALTER BOEHLICH (org.), *The Letters of Sigmund Freud to Eduard Siberstein*, tradução para o inglês de Arnold J. Pemerans, Belknap Press, Cambridge, Mass., 1990.

WILLIAM MCGUIRE (org.), *The Freud/Jung Letters*, tradução para o inglês de Ralph Manheim e R. C. F. Hull, Penguin Books, Londres, 1991.

EVA BRABANT, ERNST FALZEDER, PARTRIZIA GIAMPIERI-DEUTSCH (org.), *The Correspondence of Sigmund Freud and Sandor Ferenczi*, tradução para o inglês de Peter T. Hoffer, Belknap Press, Cambridge, Mass., 1993.

ALBRECHT HIRSCHMÜLLER (org.), *Sigmund Freud/Minna Bernays: Briefwechsel 1882–1938*, Edition Diskord, Tübingen, 2005.

MICHAEL SCHRÖTER (org.), *Sigmund Freud – Unterdess halten wir zusammen: Briefe an die Kinder*, Aufbau Verlag, Berlim, 2010.

# Lista de ilustrações

página 19: Sigmund Freud, fotografado por Max Halberstadt, 1921. © IMAGNO/Sigmund Freud Copyrights London.

página 35: Sigmund Freud no Sexto Congresso Psicanalítico Internacional, em Haia, 1920. © IMAGNO/Sigmund Freud Foundation.

página 49: Sigmund Freud lendo um jornal, Hochrotherd nos Bosques de Viena, 1932. © IMAGNO/Sigmund Freud Foundation.

página 63: Sigmund Freud com seu filho Martin voltando da guerra, 1916. © IMAGNO/Sigmund Freud Foundation.

página 79: Liège, objeto por Franz West, 1989. © Gerald Zugmann.

página 95: Martha Bernays, c. 1885. © IMAGNO/Sigmund Freud Foundation.

página 111: Sigmund Freud em Londres, trabalhando no manuscrito de *Moisés e o monoteísmo*, 1938. © IMAGNO/Sigmund Freud Foundation.

página 129: Sigmund Freud com sua filha Anna nas Dolomitas, 1913. © IMAGNO/Austrian Archives.

página 145: Sigmund Freud, fotografado por Max Halberstadt, c. 1930. © IMAGNO/Sigmund Freud Copyrights London.

página 157: Afrodite, estatueta helenística tardia da coleção de Sigmund Freud, século 1 ou 2 a.C., Ásia Menor. © Sigmund Freud Foundation.

página 173: Marie Bonaparte com Sigmund e Martha Freud em Paris, 1938. © IMAGNO/Sigmund Freud Foundation.

Impresso por :

gráfica e editora
Tel.:11 2769-9056